D1272649

BERTOLT BRECHT

FLÜCHTLINGSGESPRÄCHE

SUHRKAMP VERLAG
FRANKFURT

Das Manuskript des Fragments der »Flüchtlingsgespräche«
befindet sich im Nachlaß Bertolt Brechts; es wurde von ihm
nicht mehr zum Druck vorbereitet. Eigenheiten des Sprach-
gebrauchs und der Interpunktion wurden beibehalten.

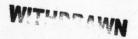
30.–35. Tausend 1965

© Suhrkamp Verlag Frankfurt am Main 1961 · Alle Rechte
vorbehalten · Printed in Germany · Satz und Druck in der
Baskerville Linotype von Poeschel & Schulz-Schomburgk,
Eschwege · Buchbindearbeiten Karl Hanke, Düsseldorf

He knew that he was still alive.
More he could not say.

Woodhouse

I
ÜBER PÄSSE / ÜBER DIE EBENBÜRTIG-
KEIT VON BIER UND ZIGARRE
ÜBER DIE ORDNUNGSLIEBE

Die Kriegsfurie hatte Europa halb abgegrast, aber sie war noch jung und hübsch und überlegte es sich, wie sie noch einen Sprung nach Amerika hinüber machen könnte, als im Bahnhofrestaurant von Helsingfors zwei Männer saßen und, sich ab und zu vorsichtig umblickend, über Politik redeten. Der eine war groß und dick und hatte weiße Hände, der andere von untersetzter Statur mit den Händen eines Metallarbeiters. Der Große hielt sein Bierglas hoch und durchschaute es.

Der Große
Das Bier ist kein Bier, was dadurch ausgeglichen wird, daß die Zigarren keine Zigarren sind, aber der Paß muß ein Paß sein, damit sie einen in das Land hereinlassen.

Der Untersetzte
Der Paß ist der edelste Teil von einem Menschen. Er kommt auch nicht auf so einfache Weise zustand wie ein Mensch. Ein Mensch kann überall zustandkom-

men, auf die leichtsinnigste Art und ohne gescheiten Grund, aber ein Paß niemals. Dafür wird er auch anerkannt, wenn er gut ist, während ein Mensch noch so gut sein kann und doch nicht anerkannt wird.

Der Große

Man kann sagen, der Mensch ist nur der mechanische Halter eines Passes. Der Paß wird ihm in die Brusttasche gesteckt wie die Aktienpakete in das Safe gesteckt werden, das an und für sich keinen Wert hat, aber Wertgegenstände enthält.

Der Untersetzte

Und doch könnt man behaupten, daß der Mensch in gewisser Hinsicht für den Paß notwendig ist. Der Paß ist die Hauptsach, Hut ab vor ihm, aber ohne dazugehörigen Menschen wär er nicht möglich oder mindestens nicht ganz voll. Es ist wie mit dem Chirurg, er braucht den Kranken, damit er operieren kann, insofern ist er unselbständig, eine halbe Sach mit seiner ganzen Studiertheit, und in einem modernen Staat ist es ebenso; die Hauptsach ist der Führer oder Duce, aber sie brauchen auch Leut zum Führen. Sie sind groß, aber irgend jemand muß dafür aufkommen, sonst gehts nicht.

Der Große

Die beiden Namen, die Sie erwähnt haben, erinnern mich an das Bier und die Zigarren hier. Ich möcht sie als führende Marken ansehen, das Beste was hier zu haben ist, und ich seh einen glücklichen Umstand darin, daß das Bier kein Bier ist und die Zigarre keine Zigarre, denn wenn da zufällig keine Übereinstimmung bestände, wär das Restaurant kaum zu führen. Ich nehm an, daß der Kaffee auch kein Kaffee ist.

Der Untersetzte
Wie meinen Sie das, glücklicher Umstand?

Der Große
Ich mein, das Gleichgewicht ist wieder hergestellt. Sie brauchen den Vergleich miteinander nicht zu scheun und können Seit an Seit die ganze Welt herausfordern, keiner von ihnen find einen bessern Freund, und ihre Zusammenkünfte verlaufen harmonisch. Anders, wenn der Kaffee z. B. ein Kaffee und nur das Bier kein Bier wär, möchte die Welt leicht das Bier minderwertig schimpfen, und was dann? Aber ich halt Sie von Ihrem Thema ab, dem Paß.

Der Untersetzte
Das ist kein so glückliches Thema, daß ich mich nicht von ihm abhalten lassen möcht. Ich wunder mich nur, daß sie grad jetzt so aufs Zählen und Einregistrieren der Leut aus sind, als ob ihnen einer verloren gehen könnt, sonst sind sie jetzt doch nicht so. Aber sie müssen ganz genau wissen, daß man der und kein anderer ist, als obs nicht völlig gleich wär, wens verhungern lassen.

Der Große, Dicke stand auf, verbeugte sich und sagte:
Mein Name ist Ziffel, Physiker. Der Untersetzte
schien zu überlegen, ob er ebenfalls aufstehen sollte,
ermannte sich jedoch dann und blieb sitzen. Er
brummte:
Nennen Sie mich Kalle, das genügt.
Der Große setzte sich wieder und nahm einen übel-
nehmerischen Zug aus seiner Zigarre, über die er
sich schon mehrere Male beschwert hatte, bevor er
wieder sprach.

Ziffel

Die Sorge für den Menschen hat in den letzten Jahren
sehr zugenommen, besonders in den neuen Staaten-
gebilden. Es ist nicht wie früher, sondern der Staat
kümmert sich. Die großen Männer, die an mehreren
Orten Europas aufgetaucht sind, zeigen ein großes
Interesse an Menschen und können nicht genug davon kriegen. Sie brauchen viele. Am Anfang hat man
sich die Köpfe darüber zerbrochen, warum der Führer überall in den Randgebieten Menschen aufgesam-
melt und nach dem Inneren Deutschlands transpor-
tiert hat. Erst jetzt im Krieg ists klar geworden. Er
hat einen ziemlichen Verschleiß und braucht einen
Haufen. Aber die Pässe gibts hauptsächlich wegen
der Ordnung. Sie ist in solchen Zeiten absolut notwendig. Nehmen wir an, Sie und ich liefen herum
ohne Bescheinigung, wer wir sind, so daß man uns
nicht finden kann, wenn wir abgeschoben werden sol-

len, das wär keine Ordnung. Sie haben vorhin von einem Chirurgen gesprochen. Die Chirurgie geht nur, weil der Chirurg weiß, wo z.B. der Blinddarm sich aufhält im Körper. Wenn er ohne Wissen des Chirurgen wegziehn könnte, in den Kopf oder das Knie, würd die Entfernung Schwierigkeiten bereiten. Das wird Ihnen jeder Ordnungsfreund bestätigen.

Kalle

Der ordentlichste Mensch, den ich im Leben kennengelernt hab, war einer namens Schiefinger im Lager Dachau, ein SS-Mann. Man hat von ihm erzählt, daß er seiner Geliebten nicht gestattet hat, an einem andern Tag als am Samstag und bei einer andern Tageszeit als am Abend mit dem Hintern zu schwenken, auch nicht aus Versehen. Sie hat die Limonadenflasche im Wirtshaus nicht mit feuchtem Boden aufn Tisch stellen dürfen. Wenn er uns mit der Lederpeitsch geprügelt hat, ist er so gewissenhaft vorgegangen, daß die Striemen, die er verursacht hat, ein Muster ergeben haben, das jeder Untersuchung mitm Millimetermaß hätt standhalten können. Der Ordnungssinn ist so in ihm dringesteckt, daß er lieber nicht geprügelt hätt, als unordentlich.

Ziffel

Das ist ein sehr wichtiger Punkt. Nirgends sieht man mehr auf Ordnung als im Gefängnis oder beim Militär. Das ist seit alters sprichwörtlich. Der französische

11

General, der dem Kaiser Napoleon, als der Siebziger Krieg begonnen hat, meldete, daß die Armee bereit ist bis auf den letzten Knopf, hätte nicht zu wenig versprochen, wenns wahr gewesen wär. Auf den letzten Knopf kommts nämlich an. Es müssen alle Knöpfe sein. Mit dem letzten Knopf gewinnt man den Krieg. Auch der letzte Blutstropfen ist wichtig, aber nicht so wie der letzte Knopf. Es ist nämlich die Ordnung, durch die der Krieg gewonnen wird. In das Blut kann man niemals die Ordnung bringen wie in die Knöpfe. Der Stab weiß nie so genau, ob der letzte Blutstropfen schon vergossen ist, wie er über die Knöpfe Bescheid weiß.

Kalle

Das Letzte ist eins von den Lieblingswörtern von ihnen. Aufm Moor hat der SS-Mann immer gesagt, wir müssen mit der letzten Kraft zustechen. Ich hab mich oft gewundert, warum wirs nicht mit der ersten haben machen dürfen. Es hat aber die letzte sein müssen, sonst hätts ihm keinen Spaß gemacht. Auch den Krieg wollens mit der letzten Kraft gewinnen, darauf bestehens.

Ziffel

Es liegt ihnen daran, daß es Ernst ist.

Kalle

Blutiger Ernst. Ein Ernst, der nicht blutig ist, ist keiner.

12

Ziffel

Das bringt uns auf die Knöpfe zurück. Nicht einmal im Geschäftsleben spielt die Ordnung eine solche Rolle wie beim Militär, obgleich im Geschäftsleben mit peinlicher Ordnung doch Gewinste gemacht werden, während im Krieg nur Verluste entstehen. Man könnte denken, daß es im Geschäftsleben viel eher auf jeden Pfennig ankommt, als im Krieg auf jeden Knopf.

Kalle

An und für sich kommts nicht auf die Knöpf an im Krieg, nirgends wird so geaast mitm Material, das weiß jeder. Da gehts ausm Vollen. Hat man eine Militärverwaltung erlebt, die gespart hätt? Die Ordnung ist nicht, daß gespart wird.

Ziffel

Natürlich nicht. Sie besteht darin, daß planmäßig verschwendet wird. Alles was weggeschmissen wird oder verdirbt oder zerstört wird, muß aufm Papier stehen und numeriert sein, das ist die Ordnung. Aber der Hauptgrund, daß auf Ordnung gesehn wird, ist ein erzieherischer. Der Mensch kann bestimmte Verrichtungen überhaupt nicht ausführen, wenn er sie nicht ordentlich ausführt. Nämlich die sinnlosen. Laß einen Gefangenen einen Graben ausheben und dann wieder zuschütten und wieder ausheben und laß ihn das so schlampig machen wie er grad Lust hat, und er wird wahnsinnig oder rebellisch, was dasselbe ist. Wenn er dagegen angehalten wird, daß er den Spaten so und so anfaßt und nicht einen Zentimeter tiefer, und wenn eine Schnur gezogen ist, wo er einstechen muß, daß der Graben schnurgerade ist, und wenn beim Wiederzuschütten darauf gesehn wird, daß der Hof wieder so flach ist, als ob überhaupt kein Graben ausgehoben worden wär, dann kann die Arbeit ausgeführt werden und alles geht wie am Schnürchen, wie der bezeichnende Ausdruck heißt. Andrerseits ist Menschlichkeit in unsern Zeitläuften kaum zu erhalten ohne Bestechlichkeit, auch eine Art Unordnung. Sie werden Menschlichkeit finden, wenn Sie einen Beamten finden, der nimmt. Mit etwas Bestechung können Sie sogar gelegentlich Gerechtigkeit erlangen. Damit ich in Österreich auf dem Passamt an der Reih drangekommen bin, hab ich ein Trinkgeld gegeben. Ich hab einem Beamten am Gesicht angesehen, daß er gütig war und was genommen hat. Die faschistischen Regime schreiten ein gegen die Bestechlichkeit, grad weil sie eben unhuman sind.

Kalle

Einer hat einmal behauptet, Dreck sei überhaupt nur Materie am falschen Ort. In einem Blumentopf können Sie Dreck eigentlich nicht Dreck nennen. Ich bin im Grund für Ordnung. Aber ich hab einmal einen Film gesehen mit Charlie Chaplin. Er hat seine Kleider usw. in einen Handkoffer gepackt, d. h. hineingeschmissen und den Deckel zugeklappt, und dann war es ihm zu unordentlich, weil zu viel herausgeschaut hat, und da hat er eine Schere genommen und die Ärmel und Hosenbeine, kurz alles, was herausgehängt ist, einfach abgeschnitten. Das hat mich in Erstaunen gesetzt. Ich seh, Sie setzen die Ordnungsliebe auch nicht hoch an.

Ziffel
Ich erkenne bloß die ungeheuren Vorteile der Schlamperei. Die Schlamperei hat schon tausenden von Menschen das Leben gerettet. Im Krieg hat oft die kleinste Abweichung von einem Befehl genügt, daß der Mann mit dem Leben davongekommen ist.

Kalle
Das ist wahr. Mein Onkel war in die Argonnen. Sie sind in einem Graben gelegen und haben durchs Telefon den Befehl erhalten, sie sollen zurückgehn und sofort. Aber sie haben nicht aufs Wort gehorcht und haben erst noch die Kartoffeln aufessen wollen, dies gebraten haben, und so sinds in Gefangenschaft geraten und waren gerettet.

Ziffel
Oder nehmen Sie einen Flieger. Er ist müd und liest die Meßinstrumente ungenau ab. Seine Bombenlast fällt neben ein großes Wohnhaus, statt drauf. Ein halbes Hundert Menschen sind gerettet. Was

15

ich meine, ist, daß die Menschen für eine Tugend wie die Ordnungsliebe nicht reif sind. Ihr Verstand ist nicht genügend ausgebildet für diese Tugend. Ihre Unternehmungen sind idiotisch, und nur eine schlampige und unordentliche Ausführung ihrer Pläne kann sie vor größerem Schaden bewahren.

Ziffel

Ich hab einen Laboratoriumsdiener gehabt, Herrn Zeisig, der alles in Ordnung gehalten hat, es ist ihm schwer gefallen. Er hat fortgesetzt aufgeräumt. Wenn man sich ein paar Apparate zu einem Versuch zurechtgestellt hatte und ans Telefon gerufen wurde, hat er schnell aufgeräumt bis man zurückgekommen ist und jeden Morgen waren die Tische blitzblank, d. h. die Zettel mit den Notizen waren für immer im Kehrichteimer verschwunden. Aber er hat sich Mühe gegeben, und so hat man nichts sagen können. Natürlich hat man doch was gesagt, aber dadurch hat man sich ins Unrecht gesetzt. Wenn wieder einmal was verschwunden war, d. h. aufgeräumt, hat er einen mit seinen durchsichtigen Augen angeblickt, in denen kein Stäubchen Intelligenz war und er hat einem leid getan. Ich hätt mir nie vorstellen können, daß Herr Zeisig ein Privatleben haben könnte, aber er hat eines gehabt. Wie der Hitler an die Macht gekommen ist, hat sich herausgestellt, daß der Herr Zeisig die ganze Zeit ein alter Kämpfer gewesen war. Am Morgen, wo Hitler Reichskanzler wurde, sagte er, mei-

nen Mantel sorgsam an den Nagel hängend: Herr
Doktor, jetzt wird in Deutschland Ordnung geschafft.
Nun, der Herr Zeisig hat Wort gehalten.

Ziffel

In einem Land, wo eine besondere Ordnung herrscht,
würd ich nicht gern bleiben. Da herrscht Knappheit.
Man könnts natürlich auch Ordnung heißen, wenn
aus dem Vollen gewirtschaftet wird, wie bei uns, wie
gesagt, nur im Krieg. Aber so weit sind wir nicht.

Kalle

Sie könnens so ausdrücken: Wo nichts am rechten
Platz liegt, da ist Unordnung. Wo am rechten Platz
nichts liegt, ist Ordnung.

Ziffel

Ordnung ist heutzutage meistens dort, wo nichts ist.
Es ist eine Mangelerscheinung.

*Der Untersetzte nickte, war aber abgestoßen durch
die Spur von Ernst, die er, ein diesbezüglich sehr
empfindlicher Mensch, in den letzten Sätzen spürte
oder zu spüren glaubte, und trank mit langsamen
Schlücken seinen Kaffee aus.*

*Kurz darauf schieden sie voneinander und entfern-
ten sich, jeder an seine Statt.*

II
ÜBER NIEDRIGEN MATERIALISMUS
ÜBER DIE FREIDENKER
ZIFFEL SCHREIBT SEINE MEMOIREN
ÜBER DAS ÜBERHANDNEHMEN BEDEU-
TENDER MENSCHEN

Ziffel und Kalle waren sehr überrascht, als sie sich zwei Tage später im Bahnhofsrestaurant wieder trafen. Kalle war unverändert, Ziffel hatte seinen dicken Mantel nicht mehr an, den er das letzte Mal trotz des Sommerwetters getragen hatte.

Ziffel

Ich habe ein Zimmer gefunden. Ich bin immer froh, wenn ich meine 180 Pfund Fleisch und Knochen verstaut habe. Es ist keine Kleinigkeit, einen solchen Haufen Fleisch durch solche Zeiten zu bringen. Und die Verantwortung ist natürlich größer. Es ist schlimmer, wenn 180 Pfund verderben als nur 130.

Kalle

Sie müssen es doch leichter haben. Beleibtheit macht einen guten Eindruck, es zeigt Wohlhabenheit, und das macht einen guten Eindruck.

Ziffel

Ich eß nicht mehr als Sie.

Kalle

Sinds nicht so empfindlich, ich hab nichts dagegen, daß Sie sich satt essen. Bei den feinen Kreisen gilts vielleicht als Schand, wenn man hungert, aber bei uns gilts nicht als Schand, wenn man satt ißt.

Ziffel

Ich find, da ist was dran, daß der sogenannte Materialismus in den besseren Kreisen in Verruf ist, man spricht gern von niedrigen materiellen Genüssen und rät den untern Klassen ab, sich ihnen in die Arme zu werfen. An sich ist es nicht nötig, weil sie das Kleingeld dafür sowieso nicht haben. Ich hab mich oft gewundert, warum die linken Schriftsteller zum Aufhetzen nicht saftige Beschreibungen von den Genüssen anfertigen, die man hat, wenn man hat. Ich seh immer nur Handbücher, mit denen man sich über die Philosophie und die Moral informieren kann, die man in den besseren Kreisen hat, warum keine Handbücher übers Fressen und die andern Annehmlichkeiten, die man unten nicht kennt, als ob man unten nur den Kant nicht kennte! Das ist ja traurig, daß mancher die Pyramiden nicht gesehen hat, aber ich finds beklemmender, daß er auch noch kein Filet in Champignonsauce gesehen hat. Eine einfache Beschreibung der Käsesorten, faßlich und anschaulich geschrieben, oder ein künstlerisch empfundenes Bild von einem echten Omelette würd unbedingt bildend wirken. Eine gute Rindssuppe geht mit dem Humanismus ausgezeichnet zusammen. Wissen Sie, wie man in anständigen Schuhen geht? Ich mein in leichten, nach Maß, aus feinem Leder, wo Sie sich wie ein Tänzer fühlen, und richtig geschnittene Hosen aus weichem Material, wer kennt das schon von euch? Das ist aber eine Unwissenheit, die sich rächt. Die Unwissenheit über Steaks, Schuhe und Hosen ist eine doppelte: Sie wissen nicht, wie das schmeckt, und Sie wissen nicht, wie Sie das bekommen können, aber die Unwissenheit ist eine dreifache, wenn Sie nicht einmal wissen, daß es das gibt.

Kalle

Wir brauchen nicht den Appetit, wir haben den Hunger.

Ziffel

Ja, das ist das einzige, was ihr nicht aus den Büchern lernt. Wenn man auch nach der Lektüre von den linken Schriftstellern glauben könnt, ihr müßt auch das noch aus den Büchern lernen, daß ihr Hunger habt. Die Deutschen haben eine schwache Begabung für den Materialismus. Wo sie ihn haben, machen sie sofort eine Idee draus, ein Materialist ist dann einer, der glaubt, daß die Ideen von den materiellen Zuständen kommen und nicht umgekehrt, und weiter kommt die Materie nicht mehr vor. Man könnt glauben, es sind nur zwei Sorten von Leuten in Deutschland, Pfaffen und Pfaffengegner. Die Vertreter des Diesseits, hagere und bleiche Gestalten, die alle philosophischen Systeme kennen; die Vertreter des Jenseits, korpulente Herren, die alle Weinsorten kennen. Ich hab einmal einen Pfaffen mit einem Pfaffengegner herumstreiten hören. Der Pfaffengegner hat dem Pfaffen vorgeworfen, er denkt nur ans Fressen, und der Pfaff hat geantwortet, der Herr Gegenredner denkt nur an ihn. Sie haben beide recht gehabt. Die Religion hat die stärksten Helden und feinsten Gelehrten hervorgebracht, aber sie war immer etwas anstrengend. An ihre Stelle tritt jetzt ein feuriger Atheismus, der fortschrittlich ist, aber zeitraubend.

Kalle

Da ist was dran. Ich war bei den Freidenkern. Unsere Überzeugung hat uns dauernd in Atem gehalten. Die Zeit, die uns beim Kampf um die weltliche Schul übrig geblieben ist, haben wir für die Entlarvung der Heilsarmee verwendet und die Propaganda für Verbrennung nach dem Tode haben wir uns von der Essenszeit absparen müssen. Manchmal ist mir selber vorgekommen, wenn uns einer von der Ferne sieht, wenn wir gegen die Religion agitieren, könnt er bei so viel Inbrunst und Gläubigkeit uns für eine besonders eifrige Sekt halten. Ich bin ausgetreten, weil meine Freundin mich vor die Entscheidung gestellt hat, entweder ich bin Freidenker oder ich geh mit ihr am Sonntag. Ich hab lang ein sündiges Gefühl gehabt, daß ich nichts mehr gegen die Religion mach.

Ziffel
Ich freu mich, daß Sie ausgetreten sind.

Kalle
Ich bin woanders eingetreten.

Ziffel
Und haben Ihre Freundin behalten.

Kalle
Nein, ich hab sie verloren, wie sie mich da, wo ich dann eingetreten bin, wieder vor die Entscheidung gestellt hat. Mit der Religion ists wie mit dem Alkohol. Sie können ihn nicht entziehen, solang er einen Fortschritt bedeutet. Die schlimmsten Trinker sind die Pferdefuhrleut im Winter gewesen. Die heutigen Schofför, dies in ihrer Maschin warm haben, können sich die Ausgab sparen.

Ziffel
Sie meinen: nicht gegen Schnaps, sondern für Motore?

Kalle
So ähnlich. Sind Sie zufrieden mit Ihrem Zimmer?

Ziffel

Das hab ich mich noch nicht gefragt. Ich frag keine
Fragen und lös keine Probleme, wenn mich die ge-
wissenhafteste Antwort und die endgültige Lösung
nicht weiterbringt. Wenn ich in einen Sumpf fall,
frag ich mich nicht, ob ich für Dampfheizung oder
für Ofenheizung bin. Ich gedenke meine Memoiren
in dem Zimmer zu schreiben.

Kalle

Ich hab gedacht, Memoiren schreibt man erst gegen
End seines Lebens. Da hat man den richtigen Überblick und weiß sich taktvoll auszudrücken.

Ziffel

Ich hab keinen Überblick und ich drück mich nicht
taktvoll aus, aber die erste Bedingung erfüll ich so
gut wie alle andern auf diesem Erdteil, nämlich,
daß ich wahrscheinlich am End meines Lebens steh.
Es ist nicht der beste Ort zum Schreiben hier, weil ich
dazu Zigarren benötige und sie sind hier schwer zu
bekommen wegen der Blockade, aber für achtzig
große Seiten kann ich, wenn ich systematisch vor-
gehe, mit insgesamt vierzig Zigarren durchkommen.
Im Augenblick kann ich die noch erschwingen. Mehr
Sorge macht mir was anderes. Niemand wird es mit
Überraschung aufnehmen, wenn er hört, daß ein bedeutender Mensch die Absicht hat, der Mitwelt einen
Bericht über seine Erlebnisse, Meinungen und Ziele

abzustatten. Aber ich hab diese Absicht und bin ein unbedeutender Mensch.

Kalle
Insofern könnens doch mit einem Überraschungserfolg rechnen.

Ziffel
Sie meinen mit einem schlagartigen Überfall aus dem Hinterhalt an einem Punkt, wo der Feind, der Leser, träumerisch dahintrottet und es versäumt hat, sich rechtzeitig in Verteidigungszustand zu setzen?

Kalle
Richtig. Daß Sie unbedeutend sind, entdeckt er erst, wenns zu spät ist. Da haben Sie ihm die gute Hälfte Ihrer Meinungen schon beigebracht. Er hats gierig aufgeschluckt und sich nichts dabei gedacht, und wenns ihm dann dämmert, daß alles Unsinn ist, haben Sie ihn mit Ihren Zielen schon vertraut gemacht, und wenn er dann auch kritisch wird, einiges bleibt immer hängen.

Ziffel sah Kalle prüfend an, konnte aber keine Hinterlist bei ihm feststellen. Kalles Augen waren ehrlich und aufmunternd auf ihn gerichtet. Er nahm einen Schluck von seinem Bier, das kein Bier war, und bekam wieder seinen spekulierenden, ins Weite gerichteten Blick.

Ziffel

Moralisch betrachtet, fühl ich mich im Recht. Während die Ansichten der bedeutenden Menschen auf alle Arten ausposaunt, ermuntert und hochbezahlt werden, sind diejenigen der unbedeutenden unterdrückt und verachtet. Die Unbedeutenden müssen infolgedavon, wenn sie schreiben und gedruckt werden wollen, immer nur die Ansichten der Bedeutenden vertreten, anstatt ihre eigenen. Das scheint mir ein unhaltbarer Zustand.

Kalle

Vielleicht könnens ein kleineres Buch schreiben. Ein Reclambändchen.

Ziffel

Warum ein kleineres? Ich seh, Sie fallen mir in den Rücken. Ein bedeutender Mensch, denken Sie, darf ein großes Buch schreiben, obwohl seine Forderungen an die Leser niemals wirklich befriedigt werden können und also Überforderungen sind. Ich hingegen, der wirklich unbedeutende Ansichten verkünden will, die jedermann zu den seinen machen kann, wenn er sie nicht schon hat, ohne es zu wagen, sich das zuzugestehn, soll mich kurz fassen!

Kalle

Ich stimm Ihnen da zu, das gehört auch zu der allgemeinen Tyrannei. Warum soll nicht ein ixbelie-

biger Mensch seine Ansichten ausführlich äußern
dürfen und höflich angehört werden?

Ziffel

Da ist Ihnen ein Irrtum unterlaufen. Ich möchte feststellen, daß ich zwar ein unbedeutender, aber keines-
wegs ein ixbeliebiger Mensch bin. Es herrscht da
nämlich eine Begriffsverwirrung. Während man
nicht so leicht von einem »ixbeliebigen bedeutenden
Menschen« spricht, nimmt man keinen Anstand,
dauernd von »ixbeliebigen unbedeutenden Menschen« zu sprechen. Ich protestiere da energisch. Auch
unter uns Unbedeutenden gibt es gewaltige Unter-
schiede. So wie es Leute gibt, die in besonderem
Maße solche Eigenschaften wie Mut, Talent, Selbstlosigkeit besitzen, gibt es auch Leute, die sie in besonderem Maße nicht besitzen. Zu ihnen gehöre
ich, insofern bin ich eine Ausnahmeerscheinung, also
kein Ixbeliebiger.

Kalle

Entschuldigens.

Ziffel

Es ist keine Frage, daß die unbedeutenden Menschen
in unserer Zeit im Aussterben begriffen sind. Der
Fortschritt auf den Gebieten der Wissenschaft, der
Technik und vor allem der Politik hat es mit sich
gebracht, daß sie von der Erdoberfläche verschwin-

den. Die stupende Fähigkeit unseres Zeitalters, aus nichts etwas zu machen, ist es, die eine so ungeheure Anzahl bedeutender Menschen erzeugt hat. Sie treten in immer riesigeren Massen auf, besser gesagt, sie marschieren in immer riesigeren Massen auf. Wohin das Auge blickt, überall lauter Individuen, die sich wie die größten Helden und Heiligen benehmen. Wo hätte man in alten Zeiten so viel Mut, Opferwille und Talent zu sehen bekommen? Kriege wie die unsrigen und Friedenszeiten wie die unsrigen wären früher nicht möglich gewesen. Sie hätten einfach zu viele Tugenden erfordert, mehr bedeutende Menschen, als vorhanden waren.

Kalle
Aber wenn die Zeit der Nichthelden sozusagen schon hinter uns liegt, möchten ihre Ansichten vielleicht nicht mehr interessieren.

Ziffel
Im Gegenteil! Grad selten gewordene Empfindungen und Gedankengänge lernt man gern kennen. Was gäben wir dafür, wenn wir zum Beispiel Genaueres über das Innenleben von einem der letzten Saurier erfahren könnten, der großen Pflanzenfresser, die in prähistorischen Zeiten auf unserer Erde vorgekommen sind? Sie sind ausgestorben, weil sies wahrscheinlich an Bedeutung mit den anderen Geschöpfen nicht aufnehmen konnten, aber gerade

deswegen könnte etwas Authentisches von ihnen Interesse beanspruchen.

Kalle
Wenn Sie sich mit den Sauriern vergleichen, wärs höchste Zeit, daß Sie noch Ihre Memoiren aufschreiben, denn nicht lang und keiner möcht sie nicht mehr verstehen.

Ziffel
Der Übergang findet reißend schnell statt. Die Wissenschaft nimmt heute an, daß der Übergang eines Zeitalters in ein anderes ruckartig, Sie können auch schlagartig sagen, stattfindet. Lange Zeit hindurch gibt es winzige Veränderungen, Unstimmigkeiten und Verunstaltungen, welche den Umschlag vorbereiten. Aber der Umschlag selber tritt mit dramatischer Plötzlichkeit ein. Die Saurier bewegen sich sozusagen noch eine geraume Zeit in der besten Gesellschaft, wenn sie auch schon etwas ins Hintertreffen geraten sind. Es steht nichts mehr hinter ihnen, aber sie werden noch gegrüßt. Im Adelskalender der Tierwelt nehmen sie schon ihres Alters wegen noch einen geachteten Platz ein. Es gilt noch durchaus als gute Kinderstube, Gras zu fressen, wenngleich die besseren Tiere schon Fleisch bevorzugen. Es ist noch keine Schande, 20 Meter vom Kopf bis zum Schwanz zu messen, wenn es auch schon kein Verdienst mehr darstellt. Das geht so und so

lang, und dann kommt plötzlich der totale Um-
schwung. Wenn Sie nicht sehr große Einwendungen
haben, möchte ich Sie bitten, ab und zu das eine
oder andere Kapitel meiner Memoiren sich anzu-
hören.

Kalle

Ich hab nichts dagegen.

*Kurz darauf schieden sie voneinander und entfern-
ten sich, jeder an seine Statt.*

III
ÜBER DEN UNMENSCHEN
GERINGE FORDERUNGEN DER SCHULE
HERRNREITTER

Ziffel ging beinahe täglich in das Bahnhofrestaurant, denn in dem großen Lokal war ein kleiner Stand für Tabakwaren, und zu unregelmäßigen Zeitpunkten erschien ein Mädchen, die, ein paar Tüten unterm Arm, aufschloß und dann 10 Minuten lang Zigarren und Zigaretten verkaufte. Ziffel hatte schon ein Kapitel von seinen Memoiren in der Brusttasche und lauerte auf Kalle. Als er eine Woche lang nicht kam, dachte Ziffel schon, er habe das Kapitel umsonst geschrieben, und stoppte alle weitere Arbeit. Er kannte außer Kalle niemand in H., der deutsch sprach. Aber am zehnten oder elften Tag erschien Kalle und zeigte keine besonderen Anzeichen von Schrecken, als Ziffel sein Manuskript hervorzog.

Ziffel

Ich fange an mit einer Einleitung, in der ich in bescheidenem Ton darauf aufmerksam mache, daß meine Meinungen, die ich vorzubringen gedenke, wenigstens bis vor kurzem noch die Meinungen von

Millionen waren, so daß sie also doch nicht ganz uninteressant sein können. Ich überspring die Einleitung und noch ein Stück und komm gleich auf die Ausführungen über die Erziehung, die ich genossen habe. Diese Ausführungen halt ich nämlich für sehr wissenswert, stellenweise für ausgezeichnet, beugen Sie sich ein wenig vor, daß der Lärm hier Sie nicht stört. *Er liest:* »Ich weiß, daß die Güte unserer Schulen oft bezweifelt wird. Ihr großartiges Prinzip wird nicht erkannt oder nicht gewürdigt. Es besteht darin, den jungen Menschen sofort, im zartesten Alter in die Welt, wie sie ist, einzuführen. Er wird ohne Umschweife und ohne daß ihm viel gesagt wird, in einen schmutzigen Tümpel geworfen: Schwimm oder schluck Schlamm!

Die Lehrer haben die entsagungsreiche Aufgabe, Grundtypen der Menschheit zu verkörpern, mit denen es der junge Mensch später im Leben zu tun haben wird. Er bekommt Gelegenheit, vier bis sechs Stunden am Tag Roheit, Bosheit und Ungerechtigkeit zu studieren. Für solch einen Unterricht wäre kein Schulgeld zu hoch, er wird aber sogar unentgeltlich, auf Staatskosten geliefert.

Groß tritt dem jungen Menschen in der Schule in unvergeßlichen Gestaltungen der Unmensch gegenüber. Dieser besitzt eine fast schrankenlose Gewalt. Ausgestattet mit pädagogischen Kenntnissen und langjähriger Erfahrung erzieht er den Schüler zu seinem Ebenbild.

31

Der Schüler lernt alles, was nötig ist, um im Leben vorwärts zu kommen. Es ist dasselbe, was nötig ist, um in der Schule vorwärts zu kommen. Es handelt sich um Unterschleif, Vortäuschung von Kenntnissen, Fähigkeit, sich ungestraft zu rächen, schnelle Aneignung von Gemeinplätzen, Schmeichelei, Unterwürfigkeit, Bereitschaft, seinesgleichen an die Höherstehenden zu verraten usw. usw.

Das Wichtigste ist doch die Menschenkenntnis. Sie wird in Form von Lehrerkenntnis erworben. Der Schüler muß die Schwächen des Lehrers erkennen und sie auszunützen verstehen, sonst wird er sich niemals dagegen wehren können, einen ganzen Rattenkönig völlig wertlosen Bildungsgutes hineingestopft zu bekommen. Unser bester Lehrer war ein großer, erstaunlich häßlicher Mann, der in seiner Jugend, wie es hieß, eine Professur angestrebt hatte, mit diesem Versuch aber gescheitert war. Diese Enttäuschung brachte alle in ihm schlummernden Kräfte zu voller Entfaltung. Er liebte es, uns unvorbereitet einem Examen zu unterwerfen, und stieß kleine Schreie der Wollust aus, wenn wir keine Antworten wußten. Beinahe noch mehr verhaßt machte er sich durch seine Gewohnheit, zwei bis drei Mal in der Stunde hinter die große Tafel zu gehen und aus der Rocktasche ein Stück nicht eingewickelten Käses zu fischen, den er dann, weiterlehrend, zermummelte. Er unterrichtete in Chemie, aber es hätte keinen Unterschied ausgemacht, wenn es Garnknäuelauflösen gewesen wäre. Er brauchte den Unterrichtsstoff, wie die Schauspieler eine Fabel brauchen, um sich zu zeigen. Seine Aufgabe war es, aus uns Menschen zu machen. Das gelang ihm nicht schlecht. Wir lernten keine Chemie bei ihm, wohl aber, wie man sich rächt. Alljährlich kam ein Schulkommissar und es hieß, er wolle sehen, wie wir lernten. Aber wir wußten, daß er sehen wollte, wie die Lehrer lehrten. Als er wieder einmal kam, benützten wir die Gelegenheit, unsern Lehrer zu brechen. Wir beantworteten keine einzige Frage und saßen wie Idioten. An diesem Tage zeigte der Mensch keine Wollust bei unserem Versagen. Er bekam die Gelbsucht, lag lange krank und wurde, zurückgekehrt, nie wieder der alte, wollüstige Käsemummler. Der Lehrer der französischen Sprache hatte eine andere Schwäche. Er huldigte einer bösartigen Göttin, die schreckliche Opfer verlangt, der Gerechtigkeit. Am geschicktesten zog daraus mein Mitschüler B. Nutzen. Bei der Korrektur der schriftlichen Arbeiten, von deren Güte das Aufrücken in die nächste Klasse abhing, pflegte der Lehrer auf einem besonderen Bogen die Anzahl der Fehler hinter jedem Namen zu notieren. Rechts davon stand dann auf seinem Blatt die Note, so daß er einen guten Überblick hatte. Sagen wir, 0 Fehler ergab eine I, die beste Note, 10 Fehler ergaben eine II usw. In den Arbeiten selber waren die Fehler rot unterstrichen. Nun versuchten die Unbegabten mitunter, mit Federmessern ein paar rote Striche auszuradieren, nach vorn zu gehen und den Lehrer darauf aufmerksam zu machen, daß die Gesamtfehlerzahl nicht stimmte, sondern zu groß angegeben war. Der Lehrer nahm dann einfach das Papier auf, hielt es seitwärts und bemerkte die glatten Stellen, die durch die Politur mit dem Daumennagel auf der radierten Fläche entstanden waren. B. ging anders vor. Er unterstrich in seiner schon korrigierten Arbeit mit roter Tusche einige vollkommen richtige Passagen und ging gekränkt nach vorn, zu fragen, was denn da falsch sei. Der Lehrer mußte zugeben, daß da nichts falsch sei, selber seine roten Striche ausradieren und auf seinem Blatt die Gesamtfehlerzahl herabsetzen. Dadurch änderte sich dann natürlich auch die Note. Man wird zugeben, daß dieser Schüler in der Schule denken gelernt hatte.

Der Staat sicherte die Lebendigkeit des Unterrichts auf eine sehr einfache Weise. Dadurch, daß jeder Lehrer nur ein ganz bestimmtes Quantum Wissen vorzutragen hatte und dies jahraus, jahrein, wurde er gegen den Stoff selber völlig abgestumpft und durch ihn nicht mehr vom Hauptziel abgelenkt: dem sich Ausleben vor den Schülern. Alle seine privaten Enttäuschungen, finanziellen Sorgen, familiären Mißgeschicke erledigte er im Unterricht, seine Schüler so daran beteiligend. Von keinerlei stofflichem Interesse fortgerissen, vermochte er sich darauf zu konzentrieren, die Seelen der jungen Leute auszubilden und ihnen alle Formen des Unterschleifs beizubringen. So bereitete er sie auf den Eintritt in eine Welt vor, wo ihnen gerade solche Leute wie er entgegentreten, verkrüppelte, beschädigte, mit allen Wassern gewaschene. Ich höre, daß die Schulen oder wenigstens einige von ihnen heute auf anderen Prinzipien aufgebaut seien als zu meiner Schulzeit. Die Kinder würden in ihnen gerecht und verständig behandelt. Wenn dem so wäre, würde ich es sehr bedauern. Wir lernten noch in der Schule solche Dinge wie Standesunterschiede, das gehörte zu den Lehrfächern. Die Kinder der besseren Leute wurden besser behandelt als die der Leute, welche arbeiteten. Sollte dieses Lehrfach aus den Schulplänen der heutigen Schulen entfernt worden sein, würden die jungen Menschen diesen Unterschied in der Behandlung, der so unendlich wichtig ist, also erst im Leben kennen lernen. Alles, was sie in der Schule, im Verkehr mit den Lehrern, gelernt hätten, müßte sie draußen im Leben, das so sehr anders ist, zu den lächerlichsten Handlungen verleiten. Sie wären kunstvoll darüber getäuscht, wie sich die Welt ihnen gegenüber benehmen wird. Sie würden fair play, Wohlwollen, Interesse erwarten und ganz und gar unerzogen, ungerüstet, hilflos der Gesellschaft ausgeliefert sein.

Da wurde ich doch ganz anders vorbereitet! Ich trat ausgerüstet mit soliden Kenntnissen über die Natur der Menschen ins Leben ein.

Ich hatte, nachdem meine Erziehung einigermaßen abgeschlossen war, Grund zu der Erwartung, daß ich, mit einigen mittleren Untugenden ausgestattet und einige nicht allzu schwere Scheußlichkeiten noch erlernend, halbwegs passabel durchs Leben kommen würde. Das war eine Täuschung. Eines Tages wurden plötzlich Tugenden verlangt.« Und damit schließ ich für heut, weil ich Sie jetzt gespannt habe.

Kalle
Ihr milder Standpunkt gegenüber der Schule ist ungewohnt und sozusagen von einer hohen Warte aus. Jedenfalls seh ich erst jetzt, daß auch ich was gelernt hab. Ich erinner mich, daß wir gleich am ersten Tag eine gute Lektion erhalten haben. Wie wir ins Klassenzimmer gekommen sind, gewaschen und mit einem Ranzen, und die Eltern weggeschickt waren, sind wir an der Wand aufgestellt worden, und dann hat der Lehrer kommandiert: »Jeder einen Platz suchen«, und wir sind zu den Bänken gegangen. Weil ein Platz zu wenig da war, hat ein Schüler keinen gefunden und ist im Gang zwischen den Bänken gestanden, wie alle gesessen sind. Der Lehrer hat ihn stehend erwischt und ihm eine Maulschelle gelangt. Das war für uns alle eine sehr gute Lehre, daß man nicht Pech haben darf.

Ziffel
Das war ein Genius von einem Lehrer. Wie hat er geheißen?

Kalle
Herrnreitter.

Ziffel
Ich wunder mich, daß er einfacher Volksschullehrer geblieben ist. Er muß einen Feind in der Schulverwaltung gehabt haben.

Kalle
Ganz gut war auch ein Brauch, den ein anderer Lehrer eingeführt hat. Er hat das Ehrgefühl erwecken wollen, hat er gesagt. Wenn einer ...

Ziffel
Ich bin immer noch bei Herrnreitter, entschuldigen Sie. Ein wie feines Modell im Kleinen der aufgestellt hat mit seinen einfachen Mitteln, einem gewöhnlichen Klassenzimmer mit zu wenig Bänken, und doch habt ihr die Welt, die euch erwartet hat, klar vor Augen gehabt nach so was. Nur mit ein paar kühnen Strichen hat er sie skizziert, aber doch ist sie plastisch vor euch gestanden, von einem Meister hingestellt! Und ich wett, er hats ganz instinktiv gemacht, aus der reinen Intuition heraus! Ein einfacher Volksschullehrer!

Kalle
Jedenfalls erfährt er so eine späte Würdigung. Das andere war viel gewöhnlicher. Er war für Reinlich-

keit. Wenn einer ein schmutziges Sacktuch benutzt
hat, weil seine Mutter ihm kein reines gehabt hat,
hat er aufstehen und mit dem Sacktuch winken und
sagen müssen: »Ich habe eine Rotzfahne.«

Ziffel

Das ist auch brav, aber nicht mehr als Mittelmaß. Sie
sagen selbst, er wollt Ehrgefühl erwecken. Das ist ein
konventioneller Geist. Herrnreitter hatte den Fun-
ken. Er gab keine Lösung. Er stellte nur groß das
Problem hin, spiegelte nur die Wirklichkeit wider.
Überließ die Schlußfolgerung völlig euch selbst! Das
wirkt natürlich ganz anders befruchtend. Für die Be-
kanntschaft mit diesem Geist bin ich Ihnen zu Dank
verpflichtet.

Kalle

Bittschön.

*Kurz darauf schieden sie voneinander und entfern-
ten sich, jeder an seine Statt.*

IV
DAS MONUMENT DES GROSSEN DICHTERS KIVI / DIE ARMEN LEUTE WERDEN TUGENDHAFT ERZOGEN PORNOGRAPHIE

An einem Tag mit schönem Wetter gingen Ziffel und Kalle ein Stück zusammen im Gespräch. Sie überquerten den Bahnhofsplatz und blieben vor einem großen Steinmonument stehen, einem sitzenden Mann.

Ziffel
Das ist der Kivi, von dem soll man etwas lesen, heißt es.

Kalle
Er soll ein guter Dichter gewesen sein, ist aber verhungert. Das Dichten ist ihm nicht bekommen.

Ziffel
Ich habe gehört, es ist hier eine Landessitte, daß die besseren Dichter am Hunger sterben. Sie wird aber lückenhaft durchgeführt, indem einige auch durch Alkohol umgekommen sein sollen.

Kalle
Ich möcht wissen, warum sie ihn vor den Bahnhof hingesetzt haben.

Ziffel

Wahrscheinlich als warnendes Exempel. Sie erreichen alles mit Drohungen. Der Bildhauer hat Humor, er hat ihm einen träumerischen Ausdruck verliehen, als ob er von einer herrenlosen Brotkruste träumte.

Kalle

Es hat auch solche gegeben, die dem Publikum ihre Meinung gesagt haben.

Ziffel

Ja, aber meist in Gedichtform oder sonstwie verwischt. Das bringt mich auf die Geschichte, die ich einmal wo gelesen hab, von dem Mann in der andern Kammer. Eine Frau hat was mit einem Subjekt gehabt, das sie im Grund verachtet hat, und ein anderer Mann, wollen wir ihn X nennen, hat davon erfahren, und an seiner Achtung ist ihr gelegen. Sie hat es so eingerichtet, daß der X, wie sie wieder einmal mit dem sagen wir Y im Bett war, in der Kammer nebenan alles hat hören können. Sie hat ihren Plan darauf gebaut, daß er gehört, aber nicht gesehn hat. Der Y war schon ein bissel abgekühlt zu ihr, und sie hat ihn anreizen müssen. Sagen wir, sie richtet sich vor ihm das Gehänge, an dem die Strümpfe befestigt sind, so daß er, der Y, alles gut sieht. Zu gleicher Zeit sagt sie aber etwas Abfälliges zu dem Y und so, daß es der X nebenan gut hört. Und so gehts weiter. Sie greift ihn an und stöhnt »die Händ weg!«, sie dreht ihm den Hintern zu und röchelt »ich laß mich nicht vergewaltigen«, sie liegt auf den Knien und schreit »Schwein!«, und der Y sieht und der X hört, und so ist ihre Würde gewahrt. Ein ähnlicher Fall war, wie ein Dichter, der im Kabarett aufgetreten ist, immer zuvor aufn Hof gegangen ist und sich die Schuh eingedreckt hat, damit das Publikum sah, er putzt sich nicht einmal die Schuh wegen ihm.

Kalle
Haben Sie was Neues geschrieben?

Ziffel
Ich hab mir Punkte notiert. Ich würd sie Ihnen gern vorlesen, weil ich nicht glaub, daß ich die Zeit find, sie in ordentliche Kapitel zu bringen. Ich fang an mit dem »Ersten Zettel«. *Er liest:*
»Schneeballschlachten. Butterbrote. Pschiererhans. Mutters Kopfweh. Zu spät zum Essen. Schulunterricht. Schulbücher. Radiergummi. Freiviertelstunde. Kastanien schütteln. Der Hund vom Metzger am Eck. Ordentliche Kinder gehen nicht barfuß. Ein Taschenmesser ist mehr wert als 3 Kreisel. Kluckern. Reifeln. Rollschuh. Meerrohr. Fenstereinschmeißen. Nicht gewesen. Sauerkraut essen müssen ist gesund. Vater will seine Ruhe haben. Zu Bett gehen. Otto bereitet seiner Mama Kummer. Man sagt nicht scheißen. Beim Handgeben in die Augen schauen.«
Wie finden Sie das?

Kalle

Lesen Sie weiter. Ich weiß noch nicht.

Ziffel

»Vesperläuten von Sankt Anna. Bierholen. Der Herrschaftskutscher in der Klauckestraße hat sich aufgehängt. Mariechen saß auf einem Stein. Messerspitzeln, von den Fingerknöcheln, vom Ellbogen, vom Kinn, vom Scheitel, von der Achsel. Das Messer kann auch schief im Boden stecken. Er hat auf die Stalltüre was mit Kreide geschrieben. Die Polizei ist verständigt. Fünferln. Das Fünfpfennigstück wird an die Hausmauer geschmissen. Wie weit es davon abspringt. Er ist abgesprungen und hat sie sitzen lassen. Auf dem Katzenstadel sitzen die Mörder. Mit Kreide, wo er die herhat? Pickeln. Kurze, zugespitzte Pfähle werden in den Boden getrieben, mit andern Pfählen herausgehauen. Sonst hau ich dich ungespitzt in den Boden, du Saumensch! Und der Handel mit Zinnsoldaten. Indianer, Germanen, Russen, Japaner, Ritter, Napoleon, Bayern, Römer. Repetent. Du alter Lackel solltest es wissen. Hund. Dreckkerl. Hosenscheißer. Arschkitz. Stenz, verrotteter. Gigerl. Ochs. Kamel. Rindviech. Viechskerl. Schlappschwanz. Mistbauer. Sozi. Lump. Hur. Bankert. Hühnerbrust. Krampfadern. (Krampfpeppi.) Buckel. Betteln verboten. Geben Sie acht, im vierten Haus wohnt ein Polizeidiener.« Dritter Zettel:

»Sonntag Nachmittag. Die Blechkapelle aus dem

Biergarten. Heiße Wurst mit Semmeln. Diese Mädchen haben eine schlimme Krankheit. Wenn du zum Weibe gehst. Hasengasse 11. Der Pfarrer von Sankt Max. Kramlichs ihr Joseph wird Geistlicher. Mit blauen Ringen unter den Augen. Beichten ist keine Sünd bei einem schönen Kind. Wenn man sich nicht beherrscht, kriegt man eines. In der Birkenau. Die Bänke. Hosenspanner. Das schlechte Element spickt. Vierer. Hände aus der Hosentasche, Geweiher! Das Fahrrad. Den Gummi erst trocknen lassen. Hinter den Ohren, noch nicht. Die Stunde der großen Verachtung in der Leihbibliothek. Das Fräulein mit der Brille. Fünf Pfennig pro Buch. Mit Busen. In der Badeanstalt, ohne Handtuch nur 10 Pfennig. Die Frauenabteilung. Kastanien. Fern im Süd. Auch auf dem Stadtwall. Am Ende Schiffer und Kahn. Das Volk Gottes. Und laß es dir gut gehn.«

Kalle
Wie machen Sie das, daß das zusammengeht? Schreiben Sie einfach auf, was Ihnen in den Kopf kommt?

Ziffel
Keine Rede. Ich arrangiere. Aber mit dem Material. Wollen Sie noch einen Zettel hören?

Kalle
Sicher.

Ziffel

»Es tut wohl, aber die Folgen. Die Periode. Mariechen saß am Rosenhügel und pflückte Heidelbeer-
chen. Kalte Bauern. Sie läßt sich. Erwischt werden.
Die Eier. Unter sechzehn ist es strafbar. Fünfmal.
Mädchen, halt die Röcke fest, wenn die Winde bla-
sen, wenn sich da was sehen läßt. Im Stehen. Nicht
aufgepaßt. Fünf Mark. Bei der Maiandacht. Unkeusch. Todsünde. Es ist ein Gefühl, das einem durch
und durch geht. Die ist scharf wie eine Rasierklinge.
Zusammenhaun. Er hat einen falschen Namen angegeben. Ach, wie war das wunderbar, auf dem Fotz-
hobel. Als der Mann im Zuchthaus war. Entjungfert.
Sie sind im Stadtpark notiert worden. Zuerst sträuben sie sich. Ein Eis kostet fünf Pfennig. Kino fünf-
undzwanzig. Sie haben es gern. Sieh mir in die Augen!
Von hinten! Oder französisch.« Fünfter Zettel:
»Zola. Schweinereien. Casanova wegen der Bayros-
zeichnungen. Maupassant. Nietzsche. Bleibtreus
Schlachtenschilderungen. Dann reitet mein Kaiser
wohl über mein Grab. In der Leihbibliothek. Und
der Städtischen. Wenn du den ganzen Tag liest, bist
du mit neunzehn ein nervöses Wrack. Aber gibt es
einen Gott? Treib lieber Sport wie andere! Entweder
er ist gut o d e r er ist allmächtig. Das ist dieser moderne Zynismus. Einen geistigen Beruf. Und es wird
am deutschen Wesen. Solange du deinem Vater die
Füße unter den Tisch streckst, verbitt ich mir solche
Ansichten. Einmal doch die Welt genesen. Zum Kot-

zen. In corpore sano. Gobineau, die Renaissance. Renaissancemenschen, aber die geistigen Berufe sind überfüllt. Faust. Im Tornister jedes Deutschen. Singend in den Tod. Die Vöglein im Walde, die sangen so wunderwunderschön. Nie sollst du mich befragen! Ist Shakespeare Engländer? Wir Deutschen sind das gebildetste Volk. Faust. Der deutsche Schullehrer hat den Siebziger Krieg gewonnen. Gasvergiftung und mens sana. Als Wissenschaftler im Venusberg. Friede seiner Asche: er hat durchgehalten. Bismarck war musikalisch. Gott ist mit den Rechtschaffenen, sie wissen nicht, was sie tun. Die stärkeren Bataillone helfen sich selber. Kunsthonig ist nahrhafter als Bienenhonig ist zu teuer als Volksnahrung. Die Wissenschaft hat festgestellt. Drei feindliche Feststellungen erobert. Der Endsieg ist der beste. Opfer werden auch nach der Vorstellung in Empfang genommen.«

Kalle

Ich find es hübsch, wie es sich auf den Krieg zu bewegt.

Ziffel

Meinen Sie, ich soll es doch in Kapitel bringen?

Kalle

Wozu?

Ziffel

Es sieht zu modern aus. Modern ist veraltet.

Kalle

Danach können Sie sich nicht richten. Der Mensch als
solcher ist auch veraltet. Denken ist veraltet, leben ist
veraltet, essen ist veraltet. Ich mein, Sie können schreiben, was Sie wollen, weil Drucken auch veraltet ist.

Ziffel

Ihre Worte beruhigen mich. Die Notizen auf den
fünf Zetteln sind auch nur als eine Skizze zu einem
Porträt gedacht. Die Memoiren behandeln die Tugenden.

Kalle

Ich hab über Ihre Memoiren nachgedacht. Wir in den
ärmeren Vierteln sind viel tugendhafter erzogen
worden als Sie. Wie ich sieben Jahr alt gewesen bin,
hab ich in der Früh vor der Schul Zeitungen austra-
gen müssen, das ist Fleiß, und das Geld haben wir
uns von den Eltern wegnehmen lassen, das ist Gehorsam. Wenn der Vater besoffen nach Haus gekommen ist, wars ihm nicht recht, daß er den halben
Wochenlohn versoffen hat, und er hat uns durchge-
prügelt, so haben wir lernen können, Schmerz zu
ertragen, und wenn wir nur Kartoffel gekriegt haben
und zu wenig, haben wir »danke« sagen müssen, der
Dankbarkeit wegen glaub ich.

Ziffel

So sind eine Menge Tugenden bei euch entstanden. Niemand kann so erpreßt werden wie die armen Leut. Von ihnen werden sogar Tugenden erpreßt. Aber ich bin überzeugt, ihr habt doch immer noch zu wünschen übrig gelassen. Wir haben einmal ein Dienstmädchen gehabt, die war fleißig und reinlich und alles, besonders fleißig, sie ist um 6 Uhr aufgestanden und fast nie ausgegangen, so daß sie niemand gehabt hat, und da hat sie sich mit uns Kindern unterhalten müssen. Sie hat uns allerhand Spiele gelehrt, z. B. daß wir kleine Gegenstände, einen Radiergummi an ihr haben suchen müssen, sie hat ihn irgendwo an sich versteckt, oben wo der Strumpf anfängt, oder zwischen den Brüsten oder wo die Beine aufhören. Wir haben das Spiel sehr gern gespielt, aber mein kleinerer Bruder hats der Mutter erzählt, aus Dummheit, und sie hats nicht lustig gefunden und gesagt, wir sind zu klein für dieses Spiel, und die Marie sei nicht so tugendhaft, wie sie gedacht hatte. Sie sehen, sie war nicht vollkommen. Mein Vater hat es darauf zurückgeführt, daß sie vom Volk stammte.

Kalle

Er hätt ihr mehr Ausgang geben sollen. Aber natürlich, dann wär das Geschirr nicht aufgewaschen worden, und so haben Sie eben von ihrer Tugendhaftigkeit abgehangen.

Ziffel

Es war sehr hübsch, davon abzuhängen. Ich erinner mich, wie ich später sehr froh war, daß die Moral Lücken hat bei der Durchführung. Ich war siebzehn und hab eine kleine Freundin gehabt, eine Schülerin bei den Ursulerinnen, sie war fünfzehn, aber sehr reif. Wir sind verschränkt Schlittschuh gefahren, das hat aber nicht lang ausgereicht, ich merkte, daß sie mich liebte, sie hat so geschnauft, wenn ich sie auf dem Heimweg geküßt hab. Ich hab einen Freund ins Vertrauen gezogen, und wir waren uns klar, daß etwas geschehen mußte, aber er hat gesagt, es sei nicht so einfach, ohne Vorkenntnisse seien schon die peinlichsten Situationen entstanden und daß einmal zweie überhaupt nicht mehr auseinander haben kommen können, man sieht es bei Hunden mitunter, da schüttet man einen Eimer Wasser darüber, dann kommen sie auseinander. Die betreffenden zwei hat man mit dem Sanitätswagen abholen müssen, und ihre Verlegenheit kann man sich vorstellen. Lachen Sie nicht, ich habe das Problem sehr ernst genommen. Ich bin zu einer Prostituierten gegangen und habe mir die nötigen Kenntnisse verschafft.

Kalle

Das nenn ich Verantwortungsgefühl. Wenns dazu nicht von klein auf angehalten worden wären, hättens es nicht gehabt.

Ziffel

Weil wir heute gerade beir Pornographie sind: haben Sie das bemerkt, wie tugendhaft die wird, wenn sie mit Kunst betrieben wird? Benutzen Sie die photographische Methode, und was herauskommt, ist eine Schweinerei. Sie würden nicht dran denken, so was an die Wand zu hängen als gebildeter Mensch. Es ist der pure Geschlechtsakt, mehr oder minder umständlich betrieben. Und dann nehmen Sie Leda mit dem Schwan, ein delikat gemaltes Stück Sodomie, an sich keine gesellschaftsfähige Gewohnheit, aber plötzlich ist dem Ganzen der Stempel der Kunst aufgedrückt, und Sie könnens zur Not Ihren Kleinen zeigen. Und die sexuelle Wirkung ist die zehnfache, weils eben Kunst ist! Und den Diderot, solche Stellen wie die, wo jemand zuhört, wie die Frau beim Akt immer davon redet, wie sie ihr Ohr juckt, und wenn es dann heißt: »Mei – – n ... O – – hr!« vereint mit dem darauf folgenden Stillschweigen, und wie ihr Ohrjucken auf irgendeine Weise zur Ruhe gekommen war, das machte mir Vergnügen. Und ihr erst! An so was kann man sich immer nur mit Rührung erinnern. Das ist Kunst und wirkt aufregender als eine gewöhnliche Spekulation auf die Sinnlichkeit.

Kalle

Ich hab immer gedacht, man liest viel zu wenig die klassischen Schriftsteller.

Ziffel

Sie sollten vor allem in keiner Gefängnisbibliothek fehlen. Meine Devise wär: gute Bücher in die Gefängnisbibliotheken! Das wär eine Lebensaufgabe für die Gefängnisreformatoren. Wenn sie das durchsetzen könnten, würden die Gefängnisse für die Behörden bald allen Scharm verlieren. Sie würden einsehn, daß es mit ihrer Gerechtigkeit »ein halbes Jahr Keuschheit für einen gestohlenen Sack Kartoffeln« herum ist.

Kalle

Für die Keuschheit sind Sie also auch nicht?

Ziffel

Ich bin gegen geordnete Zustände in einem Schweinestall.

Kalle

Bevor ich bei den Freidenkern war, war ich bei der Nacktkultur. Das sind die keuschesten Leut, die es gibt. Sie finden an nichts was Unanständiges und regen sich überhaupt nicht auf. Sie sind stolz, daß sie das Schamgefühl überwunden haben und den Mitgliedsbeitrag zahlen können. Ich bin mit ihm im Rückstand geblieben und gefragt worden, ob ich mich nicht schenier, und da bin ich ausgetreten und hab mich der Unkeuschheit wieder in die Arme geworfen. Das heißt, eine Zeit lang hab ich keine Lust mehr gehabt. Ich hab zu viel gesehn gehabt. Bei der Le-

lensweise, in der Fabrik und in den dumpfen Wohnungen und bei der Ernährung können die Leut nicht wie lauter Venusse und Adonisse aussehn.

Ziffel

Sehr richtig. Ich bin für ein Land, wo es einen Sinn hat, unkeusch zu sein.

Sie gingen noch einmal zurück über den großen Bahnhofsplatz. Dann schieden sie voneinander und entfernten sich, jeder an seine Statt.

V
ZIFFELS MEMOIREN II / SCHWIERIG-KEITEN DER GROSSEN MÄNNER OB DER WIEHEISSTERDOCHGLEICH EIN VERMÖGEN BESITZT

Als Ziffel und Kalle sich wieder trafen, hatte Ziffel ein weiteres Kapitel seiner Memoiren fertig.

Ziffel

liest:

»Ich bin von Beruf Physiker. Ein Teil der Physik, die Mechanik, hat an der Gestaltung des modernen Lebens großen Anteil, jedoch habe ich selbst sehr wenig mit Maschinerie zu schaffen. Selbst diejenigen meiner Kollegen, die den Ingenieuren einige Winke für den Stukabau geben, selbst diese Ingenieure arbeiten ungefähr so friedlich und weltfern wie etwa ein höherer Bahnbeamter.

Etwa zehn Jahre meines Lebens verbrachte ich in einem Institut, das in einer ruhigen Gartenstraße lag. Mein Essen nahm ich in einem nahe gelegenen Restaurant ein, meine Wohnung hielt mir eine Eingehfrau in Ordnung, und befreundet war ich mit Leuten aus meinem Fach.

Ich lebte das friedliche Leben einer Intelligenzbestie. Wie erwähnt, hatte ich eine anständige Schule genossen, und dazu kamen gewisse Privilegien, die vielleicht nicht groß waren, aber doch einen gewaltigen Unterschied ausmachten. Ich stammte aus einer »guten Familie« und wurde von meinen Eltern durch erhebliche Geldaufwendungen in den Besitz einer Bildung gesetzt, die mir ein ganz anderes Leben verschaffte, als die Millionen armer Teufel um mich herum es führen konnten. Ich war unbestritten ein Herr und konnte als solcher mehrmals im Tag warm essen, dazwischen rauchen, am Abend in ein Theater gehen und soviele Bäder nehmen als ich Lust hatte. Meine Schuhe waren leicht, meine Hosen keine Mehlsäcke. Ich konnte ein Bild genießen und ein Musikstück brachte mich nicht in Verlegenheit. Wenn ich mit meiner Eingehfrau über das Wetter sprach, wurde es mir als Menschlichkeit angerechnet.

Die Zeit war verhältnismäßig ruhig. Die Regierung der Republik war nicht gut und nicht schlecht, also im Ganzen eher gut, da sie sich nur um ihre eigenen Angelegenheiten kümmerte, wie die Vergebung von Posten usw., und die Leute, die mit ihr nur indirekt zu tun hatten und das Volk ausmachten, halbwegs in Ruhe ließ. Jedenfalls kam ich mit meinen natürlichen Anlagen, wie immer sie waren, einigermaßen durch. Freilich ging es, genau genommen, in meinem Beruf und auch sonst nicht ohne alle Reibungen ab. Einige kleinere Brutalitäten waren gelegentlich vonnöten, ob es sich nun um eine Frau oder um

Kollegen handelte, ab und zu eine mittlere Charakterlosigkeit, aber im Grund nichts, was ich nicht leicht aufbringen konnte, ebenso leicht wie jeder andere meinesgleichen. Aber die Tage der Republik waren leider gezählt.

Ich habe weder die Absicht noch die Fähigkeit, ein Bild der plötzlich so erschreckend überhandnehmenden Arbeitslosigkeit und allgemeinen Verarmung zu entwerfen oder gar die sich hier auswirkenden Kräfte aufzuzeigen. Es war das tief Beunruhigende der bedrohlichen Situation, daß nirgends Ursachen zu dieser jähen Verschlechterung zu entdecken waren.

Wie es schien, war die ganze zivilisierte Welt von unheimlichen Krämpfen geschüttelt, warum wußte niemand. Die Männer in den Konjunkturforschungsinstituten, die doch über genaue Notierungen auf dem Gebiet der wirtschaftlichen Erscheinungen verfügten, zeigten ihren Kopf nur dadurch, daß sie ihn schüttelten. Die Politiker »gerieten in Bewegung« wie die Hausbalken bei einem Erdbeben. Die wissenschaftlichen Veröffentlichungen der Ökonomen versiegten, dafür wurden unzählige astrologische Zeitschriften gegründet.

Ich machte eine seltsame Beobachtung.

Ich stellte fest, daß das Leben in den Zentren der Zivilisation so verwickelt geworden war, daß auch das beste Gehirn es nicht mehr überblicken und also nicht mehr irgendwelche Voraussagungen machen konnte. Mit unserer ganzen Existenz hängen wir

Kalle

Wann haben Sie zum erstenmal vom Faschismus gehört?

Ziffel

Vor Jahren, als von einer Bewegung, welche gegen die ewigen italienischen Zugverspätungen gerichtet war und die Größe des alten römischen Reichs wieder aufrichten wollte. Ich hörte, die Mitglieder trügen schwarze Hemden. Ich hielt es aber für einen Irrtum, daß man auf Schwarz Schmutz nicht sieht, braune Hemden sind da weit praktischer, aber natürlich, diese Bewegung kam nachher und konnte die Erfahrungen der ersten ausnützen. Die Hauptsache schien mir, daß der Dingsda dem italienischen Volk ein gefährliches Leben – vita pericolosa – versprach. Nach den italienischen Zeitungen soll das bei der Bevölkerung stürmischen Jubel ausgelöst haben.

Kalle

Ich seh: mit einer großen Zeit kann man Sie jagen. Sie wollen sich nicht dazu überreden lassen, heldenhaft aufzutreten.

Ziffel

Ich hab mir gelegentlich ein paar kleinere Tugenden angeschafft, für den Privatgebrauch, nichts Hervorragendes oder Teures, alles zum Verschleiß. Ich habs mir zum Beispiel geleistet und hab dem großen Stilte

widersprochen in einer Frage der Atomtheorie, auf
die Gefahr hin, daß er mich wissenschaftlich zerreißt.
Damit Sie im Bild sind: das ist ungefähr der ersten
Besteigung des Matterhorn gleichzusetzen. Ich glaub,
Sie halten mich lediglich für einen bequemen Men-
schen, aber Sie haben mich nicht im Labor gesehen.

Kalle
Nach Ihrem Reden könnt man Sie vielleicht für einen
Kleinbürger halten, der nur für seine Bequemlichkeit
ist und seine Ruh haben will.

Ziffel
Ich weiß, was für Leute Sie meinen. Sie betrachtens
als eine Unbequemlichkeit, wenn man sie hindert zu
verfaulen. Aber ich betrachts als eine Unbequemlichkeit, wenn man mich hindert, daß ich mich oder noch
besser, daß ich außer mir selber noch irgend was
andres entwickel, sagen wir die Atomtheorie. Die
Herrschaft über die Luft erobern ist was andres, als
die Herrschaft in der Luft erobern.

Kalle
Die großen Männer habens nicht leicht mit Ihnen.

Ziffel
Ich sehe keinen Grund, es ihnen besonders leicht zu
machen.

Kalle

Wenn man sich finanziell etwas rühren kann, ists natürlich eher möglich, daß mans ihnen schwer macht,
wenigstens für einige Zeit. Für die Mittellosen ists
schwieriger.

Ziffel

Sie stellen sich auch ganz ein auf die Mittellosen, das
heißt das Volk. Diese faschistischen Bewegungen bezeichnen sich überall als Volksbewegungen. Sie schlagen gegen die Reichen einen oft sehr harten Ton an,
besonders, wenn sie mit Unterstützungen der Partei-
kasse knickrig sein wollen und ihr eigenes Bestes
nicht verstehn. Wenn ich auch überzeugt bin, daß
gerade der kleine Beitrag es schafft. Und je strenger
sie gegen die Reichen reden, desto reichlicher fließt
der kleine Beitrag und desto reicher werden sie. Aber
sie müssen dafür auch was leisten. Von den großen
Männern wird heutzutage im allgemeinen zu viel
verlangt. Es ist kein Wunder, daß sie den furchtba-
ren Forderungen nicht nachkommen können. Zum
Beispiel wird gefordert, daß sie vollkommen selbst-
los sind. Ich möcht wissen, wie sie das machen sollen und wieso grad sie? Aber sie müssen immerfort
versichern, daß sie nichts davon haben, als den Kummer und die Sorgen und die schlaflosen Nächte, und
der Wieheißterdochgleich muß öffentlich Tränen
vergießen nach dem Litermaß, daß ers ehrlich meint.
Nur dann folgt ihm das Volk in den Krieg, wenn der

Wieheißterdochgleich ihn aus Idealismus vom Zaun
bricht und nicht aus Gewinnsucht.

Kalle

Vor ein paar Jahren hat er eine Rede darüber gehalten, daß er kein Rittergut und kein Bankkonto
hat. Das ist kühl aufgenommen worden. Die einen
waren peinlich berührt, weil sie selber sich ein oder
zwei Güter genommen haben, und die andern wollten sich die Konzentrationslager, die er für sie gebaut hat, nicht schenken lassen. Man hat sich den
Kopf darüber zerbrochen, von was er lebt. Man hat
herausgefunden, daß er nicht viel braucht. Warum, in
die Oper hat er eine Freikarte. Er hat das Gerede
schließlich abstoppen müssen und einen Entschluß
gefaßt, welchen Beruf er ergreifen wollte. Er hat den
Beruf eines Schriftstellers gewählt. Als Reichskanzler
hat er befohlen, daß man ihm als Reichskanzler nichts
zahlen darf, das war ihm ein Vergnügen, aber er hat
zweitens befohlen, daß man ihm als Schriftsteller sein
Buch »Mein Kampf« abkauft, auf welche Weis sein
Kampf ein voller Erfolg geworden ist. Von dem Ho-
norar hat er sich die Reichswehr und das Reichskanz-
lerpalais gekauft und ganz anständig gelebt.

Ziffel

Es ist interessant, wieviel Müh sie sich geben, zu be-
weisen, daß sie das Hinschlachten von Millionen
Menschen und die Unterdrückung und geistige Ver-

krüppelung ganzer Völker umsonst machen und nichts dafür liquidieren.

Kalle
Sie müssen zeigen, daß sie sich mit Kleinigkeiten nicht abgeben. Sie leben in ganz großen Gedanken, und alles Niedrige ist ihnen fremd, wenns einen Krieg planen.

Worauf sie voneinander schieden und sich entfernten, ein jeder an seine Statt.

VI
TRAURIGES SCHICKSAL GROSSER IDEEN
DIE ZIVILBEVÖLKERUNG EIN PROBLEM

Ziffel blickte düster auf die staubigen Anlagen vor dem Außenministerium, wo sie die Aufenthaltsbewilligung erneuern lassen mußten. In einem Schaufenster hatte er die schwedische Zeitung mit den Berichten über das Vorrücken der Deutschen in Frankreich ausgehängt gesehen.

Ziffel
Alle großen Ideen scheitern an den Leuten.

Kalle
Mein Schwager würd Ihnen beistimmen. Er hat den Arm in die Transmission gekriegt und die Idee gehabt, er könnt einen Zigarrenladen mit Nebenverkauf von Nähzeug, Nadeln, Zwirn und Stopfgarn, aufmachen, weil die Frauen schon gern rauchen, aber nicht in'n Tabakladen gehn möchten, aber die Idee ist daran gescheitert, daß er die Lizenz nicht gekriegt hat. Es hat nicht soviel gemacht, weil er das Geld doch nie zusammenbekommen hätt.

Ziffel

Das ist nicht, was ich eine große Idee nenne. Eine
große Idee ist der totale Krieg. Haben Sie gelesen,
wie jetzt in Frankreich die Zivilbevölkerung dem
totalen Krieg in die Quere gekommen ist? Sie hat
alle Pläne der Heeresleitungen über den Haufen geworfen, heißt es. Sie hat die militärischen Operationen gehindert, indem die Flüchtlingsströme den
Truppenbewegungen die Straßen verstopft haben.
Die Tanks sind in den Menschen stecken geblieben,
nachdem man endlich Konstruktionen erfunden hat,
die nicht einmal in knietiefem Morast stecken bleiben
und einen Wald umreißen können. Die hungrigen
Leut haben den Truppen die Eßvorräte weggefres-
sen, so daß sich die Zivilbevölkerung geradezu als
eine Heuschreckenplage erwiesen hat. In der Zeitung
schreibt ein Militärsachverständiger besorgt, die Zivilbevölkerung ist zu einem ernsten Problem für die
Militärs geworden.

Kalle

Für die Deutschen?

Ziffel

Nein, für die eigenen; die französische Bevölkerung
für die französischen Militärs.

Kalle

Das ist Sabotage.

Ziffel

Jedenfalls im Effekt. Was nützen die gewissenhafte-
sten Berechnungen der Stäbe, wenn sich immer wieder das Volk dazwischendrängt und den Kriegs-
schauplatz unsicher macht? Kein Kommando, keine
Verwarnung, kein gütliches Zureden, kein Appell an
die Vernunft scheint da geholfen zu haben. Kaum sind
feindliche Flieger mit Brandbomben über einer Stadt
erschienen, so ist schon alles, was Beine hatte, aus ihr
herausgelaufen, ohne sich den geringsten Gedanken
darüber zu machen, daß dadurch die militärischen
Operationen empfindlich gestört wurden. Rücksichtslos haben sich die Bewohner zur Flucht gewandt.

Kalle

Was ist da schuld?

Ziffel

Man hätt rechtzeitig an die Evakuierung des Konti-
nents denken müssen. Nur die restlose Entfernung
der Völker könnt eine vernünftige Kriegführung mit
voller Ausnützung der neuen Waffen ermöglichen.
Und es müßte eine Dauerevakuierung sein, denn die
neuen Kriege brechen blitzschnell aus, und wenn dann
nicht alles bereit, das heißt weg ist, ist alles verloren.
Und die Evakuierung müßt auf der ganzen Welt
vorgenommen werden, denn die Kriege breiten sich
rasend aus und man weiß nie, wohin die Vorstöße erfolgen.

Kalle

Evakuierung auf der ganzen Welt für dauernd? Das bräucht Organisation.

Ziffel

Es existiert eine Anregung des Generals Amadeus Stulpnagel, die wenigstens als provisorische Zwischenlösung in Betracht käm. Der General schlägt vor, daß man die eigene Zivilbevölkerung mit Transportflugzeugen und Fallschirmen hinter die feindliche Frontlinie in Feindesland absetzt. Das hätt eine doppelte Wirkung im erwünschten Sinn. Erstens würd so der eigene Operationsraum freigemacht, so daß der Aufmarsch reibungslos erfolgen kann und die Lebensmittel dem Heer restlos zugutkommen, zweitens würd die Verwirrung in die feindliche Etappe getragen. Die Zumarschstraßen und Kommunikationslinien des Gegners würden blockiert.

Kalle

Das ist das Ei des Kolumbus! Wie der Führer gesagt hat: die Kolumbuseier liegen auf der Straße herum, es muß nur einer kommen und sie auf den Kopf stellen, womit er auf sich angespielt hat.

Ziffel

Die Idee ist echt deutsch in ihrer Kühnheit und unkonventionellen Art. Aber sie ist keine endgültige Lösung des Problems. Denn natürlich würd zur Wiedervergeltung der Feind sofort seine Bevölkerung ebenfalls in Feindesland werfen, denn der Krieg steht und fällt mit dem Satz »Auge um Auge, Zahn um Zahn«. Eins ist sicher: wenn der totale Krieg nicht Zukunftsmusik bleiben soll, muß da eine Lösung gefunden werden. Die Frage steht einfach so: entweder wird die Bevölkerung abgeschafft, oder Krieg wird unmöglich. Irgendwann, und das bald, muß die Entscheidung getroffen werden.

Ziffel leerte sein Glas so langsam als wäre es sein letztes. Dann schieden sie voneinander und entfernten sich, jeder an seine Statt.

Ziffel zog einige Manuskriptseiten aus der Jacken-
tasche, als Kalle schnell eine Frage stellte.

Kalle

Hat es eigentlich einen besonderen Vorfall gegeben,
daß Sie abgefahren sind? In Ihren Memoiren sagen
Sie nichts davon. Es ist da nur eine Unlust, zu bleiben.

Ziffel

Ich habe es nicht eingefügt, weil es nicht von allge-
meinem Interesse sein kann. Wir hatten einen Assi-
stenten im Institut, der ein Proton nicht von einem
Zellkern unterscheiden konnte. Er war der Überzeugung, daß das verjudete System ihn am Hoch-
kommen hinderte, und so trat er in die Partei ein. Ich
hab eine Arbeit von ihm korrigieren müssen, und er
hat gefunden, daß ich in die nationale Erhebung
nicht hineinpasse und ihn mit Haß verfolge, weil er
für den Wieheißterdochgleich war. Das allein hat
meinen Aufenthalt im Land problematisch gemacht,

wie der Wieheißterdochgleich die Regierung über-
nommen hat. Ich bin von Natur unfähig, mich großen
und mitreißenden Gefühlen vertrauensvoll hinzuge-
ben, und ich bin einer energischen Führung nicht gewachsen. In großen Zeiten stören Leute wie ich das
harmonische Bild. Ich hab davon gehört, daß man
eigene Lager errichtet hat, wo man Leute wie mich
vor der Wut des Volkes schützen wollte, aber die
haben mich nicht gelockt. Ich werd weiterlesen.

Kalle

Meinen Sie, daß Sie sich nicht kultiviert genug vorgekommen sind für dieses Land?

Ziffel

Bei weitem nicht kultiviert genug, als daß ich in dem
ganzen Dreck hätt menschenwürdig weiterexistieren
können. Nennen Sies Schwäche, aber ich bin nicht so
human, daß ich angesichts von zu viel Unmenschlich-
keit ein Mensch bleiben kann.

Kalle

Ich hab einen gekannt, der war Chemiker und hat
Giftgas hergestellt. Er ist privat ein Pazifist gewesen
und hat vor der pazifistischen Jugend Vorträge gegen
den Wahnsinn des Kriegs gehalten und ist sehr
scharf geworden im Vortrag, sie haben ihn immer
wieder vermahnen müssen, er soll sich in den Ausdrücken mäßigen.

Ziffel

Warum habt ihr ihn reden lassen?

Kalle

Weil er recht gehabt hat, wenn er gesagt hat, daß er mit dem, was er fabriziert, nichts zu tun hat, so wenig ein ixbeliebiger Arbeiter in einer Fahrradfabrik etwas mit den Fahrrädern zu tun hat. Und er hat genau wie wir was dagegen gehabt, daß man mit dem, was man fabriziert, nichts zu tun hat. Wir haben genau gewußt, daß wir für den Krieg arbeiten, indem wir überhaupt arbeiten. Denn wenn die Fahrräder, die an und für sich unschuldige Gegenständ sind, nicht über die Grenzen gehn können, weil die Märkte besetzt sind, dann gehn eines schönen Tags die Tanks über die Grenzen, das ist klar. Ich hab Leut sagen hören, der Handel und die Wirtschaft sind human, nur der Krieg ist unhuman. Aber der Handel und die Wirtschaft sind erstens nicht human und zweitens führens bei uns zum Krieg. Und dann wolltens einen humanen Krieg. Machts Krieg, aber nicht gegen die Zivilbevölkerung! Mit Kanonen, aber nicht mit Gas! Der amerikanische Kongreß hat die Rüstungsgewinne, hör ich, auf 10% begrenzt und zwar gesetzlich. Er hätt ebensogut die Menschenverluste im Krieg gesetzlich auf 10% beschränken können! Die Barbarei kommt schon von der Barbarei, indem der Krieg von der Wirtschaft kommt. Entschuldigens, daß ich politisch geworden bin.

Ziffel

Die Kultur hat überhaupt nichts mit der Wirtschaft zu tun.

Kalle

Leider.

Ziffel

Was heißt leider? Redens verständlich mit mir, ich bin Wissenschaftler und faß schwer auf.

Kalle

Ich bin auf die Volkshochschul gegangen. Ich hab geschwankt, was ich lernen soll: Walther von der Vogelweide oder Chemie oder die Pflanzenwelt der Steinzeit. Praktisch gesehn wars gleich, verwenden hätt ich keins können. Wenn Sie Physik gelernt haben, haben Sies mit einem Seitenblick auf die Erwerbsmöglichkeiten gemacht und sich nur zugelegt, was Sie wieder haben verkaufen können, für uns hat sichs nur um Bildung gehandelt und nach welcher Seit wir sie ausbauen.

Ziffel

Und nach welcher Seit haben Sie sie ausgebaut?

Kalle

Ich hab Walther von der Vogelweide genommen und am Anfang ists auch gegangen, aber dann bin ich arbeitslos geworden und da war ich abends zu müd und habs aufgesteckt. Die Vorträg waren frei, sie haben nichts gekostet und nichts eingebracht, aber ein Reclambändchen hat so viel gekostet wie ein Dutzend Zigaretten. Vielleicht hab ich auch nur nicht den richtigen Habitus dafür gehabt, daß ich alle Schwierigkeiten überwunden hätt. Der Junge von meiner Wirtin hat die ganze Pflanzenwelt auswendig gelernt mit der Zeit, er hat eine eiserne Energie gehabt, ist nie einen Abend spazieren gegangen, nie ins Kino und hat nichts gemacht als sich gebildet und er hat sich sogar dadurch geschadet, indem er Brillen gebraucht hat, was ihn an der Drehbank gehindert hat, wenn das auch am Schluß egal war, weil er arbeitslos geworden ist.

Ziffel

Wie Sie sagen, es liegt nur an Ihnen, ob Sie sich bilden wollen oder nicht. Ich bin sicher, daß der Junge von Ihrer Wirtin noch mehr hätt leisten können. Er hat bestimmt immer noch nicht seine Zeit ganz ausgenützt, wenn er nachgedacht hätt, hätt er wahrscheinlich gefunden, daß er so und so oft ohne ein Buch auf dem Klosett war oder immer wieder vom Buch aufgeschaut hat beim Lesen. Das mag nur drei Sekunden sein, aber rechnen Sie zusammen, nehmen Sie zwanzig, dreißig Jahre Aufschaun vom Buch beim Lesen, das macht unter Umständen eine ganze Woche Versäumnis aus! Die Pflanzenwelt ist groß, es ist

71

ein kolossales Gebiet, ein vollständiges Wissen darüber erfordert eine unmenschliche Leidenschaft für
den Gegenstand, besonders von einem Mechaniker,
der noch andres zu tun hat. Und es ist ganz falsch,
daß Sie die Frage aufwerfen, ob das Wissen etwas
einbringt, denn wer nicht das Wissen um des Wissens willen erstrebt, soll die Finger davon lassen,
weil er kein wissenschaftlicher Geist ist.

Kalle

Ich hab die Frage nicht aufgeworfen, wie ich den
Kurs genommen hab.

Ziffel

Dann waren Sie geeignet und es liegt von seiten der
Wissenschaft nichts gegen Sie vor. Sie wären befugt
gewesen, bis in Ihr Greisenalter was von Walther
von der Vogelweide zu hören, und vom ethischen
Standpunkt aus sind sie sogar höher gestanden, als
der Herr, der die Vorträge gehalten hat, da er mit
seiner Wissenschaft immerhin verdient hat. Schad,
daß Sie nicht durchgehalten haben.

Kalle

Ich weiß nicht, ob es viel Sinn gehabt hätt auf die
Dauer. Wozu meinen Schönheitssinn ausbilden, in-
dem ich die Bilder von dem Rubens anschau, und die
Mädchen, die in Betracht kommen, haben alle die
Gesichtsfarb, die sie in der Fabrik kriegen? Und der

Junge von meiner Wirtin studiert die Pflanzenwelt und sie hat nicht das Geld für ein Stäudel Salat!

Ziffel

Wir könnens so ausdrücken: wenn der Bildungsdrang in einem Land einen so heroischen und selbstlosen Anstrich kriegt, daß er allgemein auffällt und für eine hohe Tugend gehalten wird, wirft das ein schlechtes Licht auf das Land.

Bald darauf schieden Ziffel und Kalle voneinander und entfernten sich, jeder an seine Statt.

VIII

ÜBER DEN BEGRIFF DES GUTEN / DIE DEUTSCHEN GREUEL / KONFUTSE ÜBER DIE PROLETEN / ÜBER DEN ERNST

Kalle

Das Wort »gut« hat einen häßlichen Beigeschmack.

Ziffel

Die Amerikaner haben ein Wort für einen guten Menschen, das heißt »sucker«, ausgesprochen sagger, am besten ausgespuckt aus einem Mundwinkel. Es bedeutet ein auf den Leim Gegangener, Hereinfaller, das was ein Bauernfänger sucht, wenn er Hunger hat.

Kalle

Am besten man denkt an einen »gütigen Bäckergehilfen«, Arm in Arm mit einem »leutseligen Metallarbeiter«, dann fallen einem die Schuppen von den Augen. Gut sind nur diejenigen im großen Maßstab, die man nicht die besseren Leute nennt. Die Textilarbeiter kleiden uns, die Bauernknecht nähren uns, die Maurer und Metallarbeiter hausen uns, die Brauer tränken uns, die Setzer bilden uns – alles

gegen ein bekannt schäbiges Entgelt, so was von
Selbstlosigkeit kennt nicht einmal die Bergpredigt.

Ziffel
Wer sagt, daß die gut sind? Zum Gutsein fehlt ihnen,
daß sie damit einverstanden sind, wenn das Entgelt
schäbig ist, und erfreut, daß wir angenehm leben.
Das sind sie aber n i c h t.

Kalle
Stellen Sie sich nicht dumm. Ich brauch Sie nur zu fragen: auf Herz und Gewissen, würden Sie ihnen raten,
daß sie über den schäbigen Lohn erfreut sein sollen?

Ziffel
Nein.

Kalle
Sie wollen also nicht, daß sie gut sind? Oder nur au-
ßerhalb ihrer Haupttätigkeit, am Feierabend, vielleicht zu einer Katz, die von einem Baum nicht mehr
herunterkommt, und in einer Weise, daß es überhaupt nicht ausgibt!

Ziffel
Ich würd keinem anraten, daß er sich ohne die aller-
größte Vorsicht menschlich benimmt. Das Risiko ist
zu gewaltig. In Deutschland, nach dem ersten Weltkrieg, ist ein Buch erschienen mit dem sensationellen

Titel »Der Mensch ist gut!«, und ich habe mich sofort unruhig gefühlt und aufgeatmet, wie ein Kritiker geschrieben hat »der Mensch ist gut, das Kalb schmackhaft«. Andrerseits habe ich ein Gedicht von einem Stückeschreiber gefunden, mit dem ich auf dem Gymnasium war, das das Gutsein nicht als etwas Heroisches hinstellt. Es geht so:

An meiner Wand hängt ein japanisches Holzwerk
Maske eines bösen Dämons, bemalt mit Goldlack.
Mitfühlend sehe ich
Die geschwollenen Stirnadern, andeutend
Wie anstrengend es ist, böse zu sein.

Das führt mich zu einer Frage: Wie stehn Sie zu den deutschen Greueln? Nebenbei: Ich hab was gegen das Wort »deutsch«. »Deutsch sein heißt gründlich sein« beim Bodenwachsen und beim Judenvertilgen. »Der deutsche Mensch hat einen Hang zu einem Lehrstuhl für Philosophie.« Wenns nur benutzt würd zum Unterscheiden, aber es wird mit diesem seelenvollen blutrünstigen Ausdruck gesprochen. Ich könnt mir vorstellen, daß der deutsche Mensch, nachdem er sich in Paris und vor Stalingrad und in Lidice hat blicken lassen, jetzt endlich den Drang verspürte, daß er seinen Namen ablegt. Wie soll er sonst ein neues Leben anfangen, wenn jeder ihn kennt? Wir könnten uns, zur Unterscheidung, das, sagen wir, neunte Land nennen, die Neuner, mit einer neunigen Seele

76

oder so. Und man müßte die Ziffer ab und zu abändern, daß sie nicht wieder den seelenvollen Klang abkriegt. Es ist widerwärtig, wenn man jeden Holzkopf sich so stolz aufführen sieht, als ob er die »Matthäuspassion« oder »Die lustige Witwe« geschrieben hätt. Ich bin abgeschweift. Ich wollte Sie nur fragen: Glauben Sie an die deutschen Greuel?

Kalle

Ja.

Ziffel

Und nicht, daß es Propaganda ist?

Kalle

Von den Alliierten?

Ziffel

Oder von den Nazis.

Kalle

Ich glaub ohne weiteres, daß in der deutschen Armee eine starke Grausamkeit herrscht. Wenn Sie unterwerfen und rauben wollen, müssens zuschlagen bis der Arm weh tut. Mitm Überreden und Tätscheln könnens keinen dazubringen, daß er Ihnen sein Hab und Gut abliefert; er machts nicht und wenn Sie mit Engelszungen reden.

77

Ziffel

»In der deutschen Armee herrscht eine starke Grausamkeit«, das ist zweideutig ausgedrückt, das wissens.

Kalle

Über, was herrschen ist, besteht eine verkehrte Meinung bei einigen. Die meisten Leut wissen zeit ihres Lebens nicht, daß sie beherrscht werden, das ist eine Tatsache. Sie meinen, sie tun, was sie auch täten, wenns überhaupt keine Obrigkeit oder sonstwas, was herrscht, gäb. Wenn sie was merken, werden sie manchmal ganz wild. Man denkt, wenn der Hitler Deutschland beherrscht, das bedeutet, er herrscht, aber viele Leut haben eine andre Meinung; nur, weil er eben herrscht, können sie die ihrige nicht immer durchdrücken, oder nie. Es is aber anders. Natürlich gibts solche Leut, aber entscheidend is, daß sehr bald nicht nur er herrscht, sondern auch seine Meinungen. Er hat auch die Mittel, ihren Verstand zu besiegen. Z. B. er gibt ihnen die Information, was vorgeht. Wenn sie schon denken, daß die Information falsch is, so haben sie immer noch keine richtige, d. h. sie sind ohne. Außerdem kann er sich, wenn er die Leute zu einem dreckigen Raubzug kriegen will, ohne weiteres auch an das »Schönste und Edelste« in ihnen wenden. Ich hab mir ein Gedicht abgeschrieben, das in Stockholm kursiert is, das is nicht schlecht.
Der Untersetzte kramte in seiner Brieftasche, die bis zum Platzen voll von abgegriffenen Dokumenten und

Ausschnitten mit Eselsohren war, und zog einen Zettel heraus, der mit Bleistift beschrieben war.

Kalle

*Liest das Gedicht »Appell der Laster und Tugenden«
aus der »Steffinischen Sammlung« vor:*

Appell der Laster und Tugenden

Bei der Soiree der Unterdrückung, die neulich
stattfand, traten unter Posaunentuschen gewisse
Prominente auf und bezeugten ihre Verbundenheit mit den Machthabern.

Die Rachsucht, aufgemacht und frisiert wie
das Gewissen, gab Proben ihres nie versagenden
Gedächtnisses. Die kleine und verkrüppelte
Person erntete gewaltigen Beifall.

Die Roheit, hilflos um sich blickend, hatte
einen unglücklichen Auftritt. Sie glitt auf der
Plattform aus, aber sie machte alles gut dadurch, daß sie im Zorn so auf den Boden
stampfte, daß ein Loch entstand.

Nach ihr trat der Bildungshaß auf und beschwor die Unwissenden mit Schaum vor dem
Maul, die Last der Erkenntnis abzuwerfen
»Gegen die Besserwisser!« hieß seine Parole,
und die Nichtswisser trugen ihn auf den abgearbeiteten Schultern aus dem Lokal.

Auch die Unterwürfigkeit erschien und pro-

duzierte sich als große Hungerkünstlerin. Bevor
sie abtrat, verneigte sie sich noch vor ein paar
feisten Gaunern, denen sie hohe Stellungen
verschafft hatte.

Als beliebte Komikerin machte die S c h a d e n -
f r e u d e Stimmung im Saal. Sie erlitt allerdings
einen kleinen Unfall, indem sie sich einen Lei-
stenbruch anlachte.

Im zweiten Teil der Werbevorstellung trat als
erster der E h r g e i z auf, der große Sportsmann.
Er sprang so hoch in die Luft, daß er sich den
kleinen Kopf an einem Dachbalken verletzte.
Aber weder dabei, noch als ihm ein Festleiter
einen Orden mit einer langen Nadel direkt ins
Fleisch heftete, zuckte er mit der Wimper.

Ein wenig bleich, vielleicht vom Lampenfieber,
stellte sich die G e r e c h t i g k e i t vor. Sie sprach
von Kleinigkeiten und sagte für die nächste
Zukunft einen umfassenderen Vortrag zu.

Der W i s s e n s d u r s t, ein junger kräftiger Kerl,
berichtete, wie das Regime ihm die Augen ge-
öffnet habe und über die Schuld krummer Nasen an den öffentlichen Mißständen.

Heraus trat der O p f e r s i n n, ein langer, ma-
gerer Bursche mit ehrlichem Gesicht, einen
großen Teller mit gefälschtem Zinn in der
schwieligen Hand. Er sammelte die Pfennige
der Arbeiter und sagte leise, mit erschöpfter
Stimme: Denkt an eure Kinder!

Auch die Ordnung trat auf die Plattform, die mit dem kahlen Kopf unter der sauberen Haube. Sie verteilte Doktordiplome an die Lügner und Chirurgenlizenzen an die Mörder. An ihrem grauen Kleid war kein Stäubchen, obwohl sie in der Nacht auf den Hinterhöfen aus den Kehrichttonnen stehlen gegangen war. In langen, unabsehbaren Zügen gingen die Beraubten an ihrem Tisch vorbei, und mit Krampfadern an den Händen schrieb sie für alle Quittungen aus. Ihre Schwester, die Sparsamkeit, wies einen Korb vor mit Brotkrusten, die sie den Kranken in den Spitälern vom Mund gerissen hatte.

Der Fleiß, nach Luft schnappend wie ein zu Tode Gehetzter, mit Peitschenstriemen am Hals, gab eine Gratisvorstellung. Er drehte in weniger Zeit als man braucht, die Nase zu schneuzen, eine Granate. Und als Dreingabe kochte er, bevor man Ah! sagen konnte, Giftgas für zweitausend Familien.

Alle diese Berühmtheiten, diese Kinder und Kindeskinder der Kälte und des Hungers, traten auf unter dem Volk und bekannten sich rücksichtslos als Diener der Unterdrückung.

Ziffel

Nach Ihrer Meinung hätt der Hitler aus den 12 Aposteln eine ganz schöne Schutzstaffel bilden können.

Kalle

Einen Profit kriegens nur heraus, wenns mit allen Mitteln vorgehn.

Ziffel

An allem ist der Kapitalismus schuld – das ist eine Plattitüde.

Kalle

Leider is es keine.

Ziffel

Ich stimm Ihnen zu, daß es nicht bekannt genug ist, und ich würd sogar außerdem zugeben, daß ich selber einen gefährlichen Hang hab, Plattitüden zu unterdrücken, auch wenn es nützliche Wahrheiten sind. In der Chemie wär eine solche Gewohnheit nicht aufrechtzuerhalten. Wissen Sie, daß Ihr Konfutse, der Karl Marx, die moralischen Qualitäten des Proletariats recht kühl eingeschätzt hat? Er hat ihm auch Komplimente gemacht, geb ich zu, aber daß die Proleten Untermenschen sind, hat der Goebbels von Karl Marx persönlich. Nur daß der letztere der Meinung war, sie haben es satt.

Kalle

Wie können Sie behaupten, daß der Marx die Arbeiter beschimpft haben soll? Sind Sie nicht so originell, bitte.

Ziffel

Lassens mich originell sein, sonst bin ich stupid und
was haben Sie davon? Der Marx hat die Arbeiter
nicht beschimpft, er hat festgestellt, daß ihnen von
der Bourgeoisie ein Schimpf angetan wird. Meine
Kenntnis vom Marxismus ist unvollkommen, so sei-
ens lieber vorsichtig. Eine halbwegs komplette Kenntnis des Marxismus kostet heut, wie mir ein Kollege
versichert hat, zwanzigtausend bis fünfundzwanzig-
tausend Goldmark und das ist dann ohne die Schi-
kanen. Drunter kriegen Sie nichts Richtiges, höchstens
so einen minderwertigen Marxismus ohne Hegel oder
einen, wo der Ricardo fehlt usw. Mein Kollege rech-
net übrigens nur die Kosten für die Bücher, die Hoch-
schulgebühren und die Arbeitsstunden und nicht was
Ihnen entgeht durch Schwierigkeiten in Ihrer Kar-
riere oder gelegentliche Inhaftierung, und er läßt
weg, daß die Leistungen in bürgerlichen Berufen be-
denklich sinken nach einer gründlichen Marxlektüre;
in bestimmten Fächern wie Geschichte und Philosophie werdens nie wieder wirklich gut sein, wenns den
Marx durchgegangen sind.

Kalle

Und was ist mit dem Untermenschentum von den
Arbeitern?

Ziffel

Die Meinung scheint zu sein, wie gesagt ohne Gewähr, daß dem Proleten die Menschlichkeit, d. h. seine eigene, verweigert wird, so daß er was unternehmen muß, entmenscht wie er ist in einer Welt, wos für ihn auf Menschlichkeit besonders ankommt. Der homo sapiens tut nach Marx nur was, wenn er dem absoluten Ruin in die Pupille starrt. Die höheren Züge läßt er sich nur erpressen. Das Richtige macht er nur im Notfall, so ist er für Menschlichkeit nur, wenns gar nicht mehr anders geht. So kommt der Prolet zu seiner Mission, die Menschheit auf eine höhere Stufe zu heben.

Kalle

Gegen diese Mission bin ich immer gewesen, sozusagen instinktiv. Es klingt schmeichelhaft, aber den Schmeichlern mißtrau ich immer, Sie nicht? Ich wär neugierig, was das Wort Mission heißt, ich mein wörtlich.

Ziffel

Es kommt vom lateinischen mittere, schicken.

Kalle

Ich hab mirs gedacht. Der Prolet soll wieder der Gehherda sein. Sie denken sich einen Idealstaat aus, und wir sollen ihn schaffen. Wir sind die Ausführenden, Sie bleiben die Führenden, wie? Wir sollen die

Menschheit retten, aber wer ist das? Das sind Sie. In Stockholm hab ich einen jüdischen Emigranten getroffen, einen Bankier mit dem Titel Kommerzienrat, der mir ernstlich Vorhaltungen gemacht hat, daß wir Sozialisten nicht Revolution gemacht haben, sondern den Hitler haben die Macht ergreifen lassen. Er hätt sich scheints eine Art Kommerzienrätedeutschland gewünscht. Die Russen habens auch von dem Gesichtspunkt aus beurteilt. In der Frankfurter Zeitung ist immer wieder gestanden, daß es dort kein echter Kommunismus ist, und so hat die Sowjetunion eine schlechte Kritik bekommen. Sie haben geschrieben, es ist ein interessantes Experiment und in einem objektiven Ton, als ob sie ihr Endurteil nur davon abhängig machen wollten, obs technisch durchführbar war. Aber vielleicht haben die französischen Adligen auch so über die Guillotine geredet.

Ziffel

Versteh ich Sie recht: Sie weigern sich, die Menschheit zu befreien?

Kalle

Jedenfalls zahl ich ihr nicht den Kaffee. – Manchmal, nehmen Sies mir nicht übel, geh ich mir selber auf die Nerven, daß ich in einer solchen Zeit sitz und herumwitzel.

Ziffel

Erstens könnt ich Ihnen antworten, daß wir beide zum wirklichen Ernst nicht satt genug sind, besonders mit 2 motorisierten deutschen Divisionen im Land und keinem Visum. Zweitens ist der Ernst als Lebenshaltung ein bissel diskreditiert im Augenblick; denn das Ernsteste, was es je gegeben hat, ist der Hitler und die Seinen. Er gehört zu den ernsten Mördern, Mord ist was sehr Ernstes. Keine oberflächliche Natur, die Polen werdens Ihnen bestätigen. Dagegen war der Buddha ein Humorist. Und drittens brauchen wir uns nicht würdig zu verhalten, wir sind keine Metzger. Eine gute Sache könnens immer auch lustig ausdrücken.

Kalle

Wie ein Festredner von den Feuerbestattern gesagt hat: die Bourgeoisie hat nichts zu verlieren außer ihr Geld.

Kurz darauf schieden sie voneinander und entfernten sich, jeder an seine Statt.

IX
DIE SCHWEIZ, BERÜHMT DURCH FREI-
HEITSLIEBE UND KÄSE / VORBILD-
LICHE ERZIEHUNG IN DEUTSCHLAND
DIE AMERIKANER

Ziffel

Die Schweiz ist ein Land, das berühmt dafür ist, daß
sie dort frei sein können. Sie müssen aber Tourist sein.

Kalle

Ich war dort und hab mich nicht sehr frei gefühlt.

Ziffel

Wahrscheinlich habens in keinem Hotel gewohnt. Sie
müssen in einem Hotel wohnen. Von da aus können
Sie hin, wohin Sie wollen. Um die größten Berge mit
der schönsten Aussicht sind keine Zäun und nichts.
Es heißt, Sie fühlen sich nirgends freier als auf einem
Berg.

Kalle

Ich hab gehört, die Schweizer selber steigen nie hin-
auf, wenns nicht Bergführer sind, und dann sinds
nicht ganz frei, sondern müssen die Touristen her-
umtragen.

Ziffel

Die Bergführer haben wahrscheinlich weniger Freiheitsdurst als die andern Schweizer. Der historische Freiheitsdurst der Schweiz kommt daher, daß die Schweiz ungünstig liegt. Sie ist umgeben von lauter Mächten, die gern was erobern. Infolgedessen müssen die Schweizer immerfort auf dem Quivive sein. Wenns anders wär, bräuchten sie keinen Freiheitsdurst. Man hat nie was von einem Freiheitsdurst bei den Eskimos gehört. Sie liegen günstiger.

Kalle

Die Schweizer haben Glück gehabt, daß es gleich mehrere sind, die schlimme Absichten auf sie haben. Keiner von ihnen gönnt dem andern die Schweiz. Wenn ihr Glück ausläßt, d. h. wenn eine von den Mächten stärker wird, ists herum.

Ziffel

Wenn Sie meine Meinung wissen wollen: raus aus jedem Land, wo Sie einen starken Freiheitsdurst finden. In einem günstiger gelegenen Land ist er überflüssig.

Kalle

Sie haben recht, es ist verdächtig, wenn wo viel von Freiheit die Rede ist. Es ist mir aufgefallen, daß so ein Satz »bei uns herrscht Freiheit« immer kommt, wenn jemand sich über Unfreiheit beschwert. Dann heißt es sofort: »Bei uns ist Meinungsfreiheit. Bei uns

könnens jede Überzeugung haben, die Sie wünschen.«
Das stimmt, indem das überall stimmt. Nur äußern
könnens Ihre Überzeugung nicht. Das wird strafbar.
Wenns in der Schweiz was gegen den Faschismus sagen, was mehr ist als nur, daß Sie ihn nicht lieben,
was keinen Wert hat, heißts sofort: »Diese Überzeugung darf man nicht äußern, weil sonst unsere
Freiheit bedroht ist, denn dann kommen die Deutschen.« Oder sagens dort einmal, Sie sind für den
Kommunismus. Sofort werdens hören, daß Sie das
nicht sagen dürfen, weil der Kommunismus die Unfreiheit bedeutet. Denn die Kapitalisten sind im
Kommunismus unfrei. Sie werden verfolgt, weil sie
eine andere Meinung haben und auch die Arbeiter
sind nicht mehr frei, bei ihnen Arbeit zu nehmen.
Ein Herr in einem Gasthof hat mir gesagt: »Ver-
suchens einmal, in Rußland eine Initiative zu haben
und eine Fabrik aufzumachen! Sie können nicht einmal ein Haus kaufen.« Ich hab ihm gesagt: »Kann
ichs hier?« »Jederzeit«, hat er gesagt, »schreiben Sie
einen Scheck aus und fertig.« Ich hab sehr bedauert,
daß ich kein Konto auf der Bank gehabt hab, denn
sonst hätt ich eine Fabrik aufmachen können.

Ziffel

Gemeint ist, daß Sie im Privaten einige Freiheiten
haben und nicht gleich verhaftet werden, wenn Sie
an einem Biertisch eine Überzeugung haben, die
von der erlaubten abweicht.

Kalle

Hier dürfens auch am Biertisch keine Meinung mehr haben. Die Deutschen und vor ihnen schon andere haben entdeckt, daß auch das schon gefährlich ist. Sie sind auch untern Biertisch gekrochen. Sie haben den Freiheitsdurst der Kleinbürger an der Wurzel gepackt.

Ziffel

Sie tun, was sie können, aber sie sind noch nicht ganz durch. Sie haben in ihren Konzentrationslagern Vorbildliches geschaffen, aber Rom wird nicht an einem Tag gebaut, und die Leut erlauben sich noch einen ganzen Haufen Freiheiten. Z. B. Sie können auch in Deutschland noch zuweilen frei herumgehn durch die Stadt und vor den Läden stehn bleiben, wenns auch nicht gern gesehn ist, weil kein Ziel da ist.

Kalle

Ja, ein Ziel brauchens immer. Ziel ist, worauf man schießt.

Ziffel

Man hat es ganz zu Unrecht für einen bewußten Schwindel von ihnen genommen, daß die Konzentrationslager zur Erziehung da sind. Das sind Musteranstalten für Erziehung. Sie probieren sie an ihren Feinden aus, aber gedacht sind sie für alle. Natürlich hat sich ihr Staat noch nicht ganz durchgesetzt

und ist noch schwächlich. Daß die Arbeiter nach der
Arbeit noch nach Haus gehn z. B., müssens im Grund
für ganz unglaublich verrottete Zustände halten. Sie
haben noch lang nicht alle erfaßt. Schön, sie haben
die Kinder von sechs Jahren an und dann aus der
Wieheißterdochgleichjugend über das Militär in die
Partei die Jünglinge und Männer. Aber was ist z. B.
mit den Greisen? Wo ist die Formation der Wie-
heißterdochgleichgreise? Da ist eine fühlbare Lücke.
Leicht möglich, daß von da her einmal eine Gefahr
für sie ausgehn kann!

Kalle

Ich weiß auch nicht, ob schon alles für die Kinder ge-
schehn ist. Die größeren können ganz gut ihre Eltern
bespitzeln und die kleineren können Schrott sam-
meln, aber man müßt vielleicht doch schon im Mutterleib anfangen. Da hätt die Wissenschaft noch ein
Feld. Ich mein, schaden kanns nichts, wenn die
Schwangeren viel Militärmärsche hören und den
Führer in Greifweite überm Bett haben, aber das ist
primitiv. Es muß da Übungen geben für werdende
Mütter, die einen Einfluß schon auf den Fötus ausüben, das Propagandaministerium muß an den Fötus
ran, kein Augenblick darf verloren werden.

Ziffel

Die Fürsorge für das Kind ist unendlich wichtig.
Das Kind ist das Teuerste, was die Nation hat. Das

Antlitz des Dritten Reichs wird das Antlitz sein, das die neuen Generationen haben werden, es muß also einen Wieheißterdochgleichbart haben, aber die Erziehung fängt im Mutterleib an. Es ist eine alte Vorschrift, daß die werdende Mutter sich z. B. Bewegung machen soll. Schon das mit zurückgebogenem Kopf Hochschaun zu den feindlichen Bombenfliegern ist zu begrüßen.

Kalle

Das Wichtigste ist vielleicht doch, daß man die größeren Kinder, auch die reifere Jugend von allen Orten weghält, wo sie verdorben und dem Staat entfremdet werden kann, vor allem ausm Erwerbsleben. Was nützt es, wenn man mit unendlicher Mühe und Strenge den jungen Menschen zum unbedingten Glauben an den Führer und die Zukunft erzieht und dann tritt er ins Erwerbsleben hinaus und wird überall ausgequetscht und ausgenutzt, so daß er bitter wird und zweifelt? Das Erwerbsleben müßt man abschaffen.

Ziffel

Das ist richtig, das würd eine gute Wirkung haben.

Kalle

Solang wir unser Erwerbsleben haben, kann immer ein Freiheitsdurst entstehn. Warum, es ist zu anstrengend.

Ziffel

Für die meisten.

Kalle

Nehmens die Amerikaner, ein großes Volk. Zuerst
haben sie sich gegen die Übergriffe der Indianer
wehren müssen und jetzt haben sie die Millionäre
aufn Hals bekommen. Ständig werdens überfallen
von den Nahrungsmittelkönigen, umzingelt von den
Öltrusts, gebrandschatzt von den Eisenbahnmagna-
ten. Der Feind ist listig und grausam und verschleppt
Frauen und Kinder in die Tiefe der Kohlenminen
oder hält sie in Autofabriken gefangen. Von den
Zeitungen werden sie in die Hinterhalte gelockt, und
die Banken lauern ihnen beim hellichten Tag am
Weg auf. Während sie jeden Augenblick gefeuert
werden können, ja sogar wenn sie gefeuert sind,
kämpfen sie wie die Wilden um ihre Freiheit, dafür
daß jeder machen kann, was er will, was die Millionäre mit Freude begrüßen.

Ziffel

begeistert:

So ist es: wie die wilden Tiere müssens ständig auf
der Höhe sein, sonst werdens überwältigt. Sie möchten vielleicht gern einmal die Köpfe hängen lassen
und finster vor sich hinstieren und den Lebensüber-
druß ein wenig auskosten nach Herzenslust, aber
das geht nicht, das kostet gleich die Existenz, das hab

ich aus sicherer Quelle. Ich hab einen Onkel drüben, der war herüben wie ich ein Junge war, den vergeß ich nie. Er war den ganzen Tag optimistisch, der arme Mensch, sein Gesicht hat sich immerfort zu einem zuversichtlichen Grinsen verzogen, daß man seine goldenen Stiftzähne gesehen hat, und meinem Vater, der den Rheumatismus gehabt hat, hat er am Tag mehrere Male ermunternd auf die Schulter und auf den Rücken geschlagen, daß er jedesmal vor Schmerz aufgezuckt hat. Er hat ein Auto mitgebracht von drüben, das war damals noch eine Seltenheit, und einmal haben wir einen Ausflug auf den Kobelberg gemacht, da hat er dauernd davon gesprochen, wie man früher hat zu Fuß auf die Berge kriechen müssen. Das Auto ist bergauf stehen geblieben, wir haben zu Fuß vollends hinaufgehen müssen und seinen letzten Atem hat er dazu verschwendet, daß er versichert hat, die Autos werden auch noch besser werden.

Kalle

Grad bei den Amerikanern ist ein besonders starkes Gerede von Freiheit. Wie ich schon vorhin gesagt hab: es ist verdächtig. Damit einer von Freiheit redet, muß ihn der Schuh drücken. Von Menschen, die in gutem Schuhwerk herumgehn, werdens selten erleben, daß sie in einem fort davon reden, wie leicht ihre Schuh sind und wie sie passen und nicht drücken und daß sie keine Hühneraugen haben und keine dulden würden. Ich hab mich für Amerika begeistert, wie ich das gehört hab und hab Amerikaner werden wollen oder wenigstens hinkommen in diese Freiheit. Ich bin vom Pontius zum Pilatus gelaufen. Der Pontius hat keine Zeit gehabt und der Pilatus war verhindert. Der Konsul hat verlangt, daß ich viermal um den Häuserstock kriech auf allen Vieren und mir dann von einem Doktor bestätigen laß, daß ich keine Schwielen gekriegt hab. Dann hab ich eidesstattlich versichern sollen, daß ich keine Ansichten hab. Ich hab ihm blau in die Augen geschaut und es versichert, aber er hat mich durchschaut und verlangt, daß ichs beweis, auch daß ich nie eine gehabt hab, und das hab ich nicht können. So bin ich nicht in das Land der Freiheit gelangt. Ich bin nicht sicher, daß meine Freiheitsliebe für das Land ausgereicht hätt.

Bald darauf schieden Ziffel und Kalle voneinander und entfernten sich, jeder an seine Statt.

X
FRANKREICH ODER DER PATRIOTISMUS
ÜBER VERWURZELUNG

Ziffel mußte Kalle die traurige Eröffnung machen,
daß er keine Möglichkeit sehe, seine Memoiren fort-
zusetzen, da er zu wenig erlebt habe.

Kalle

Sie müssen doch was erlebt haben. Wenns keine
großen Erlebnisse gehabt haben, dann habens kleine
gehabt. Beschreibens die kleinen!

Ziffel

Das ist die Theorie, daß jeder ein Leben hat, aber
sie ist eine Erschleichung, denn das gilt nur logisch,
indem man siebzig Jahre Vegetieren eben Leben
nennen kann, aber auch drei Jahre. Ich kenn die
Redeweise, nach der man sich an einem Kieselstein
am Ufer des Bächleins ebenso erfreuen kann, wie an
einem Matterhorn. Man kann sozusagen Gottes
Schöpfung dabei ebenso bewundern, aber ich bewun-
der sie lieber beim Matterhorn, das sind Geschmacks-
fragen. Natürlich kann man von allem interessant

reden, aber nicht alles verdient Interesse. Jedenfalls
bin ich schon fertig mit meinen Memoiren, das ist
traurig genug.

Kalle
Sie können ja mündlich vorbringen, wo Sie überall
waren und warum Sie wieder weggegangen sind,
kurz, wie Sie gelebt haben.

Ziffel
Dann kämen wir zu Frankreich. La patrie. Ich bin
froh, daß ich kein Franzose bin. Sie müssen zu patrio-
tisch sein für meinen Geschmack.

Kalle
Ja, sagens ruhig, was Sie da dagegen haben.

Ziffel
Das ist ein Land, wo der Patriotismus betrieben werden muß wie ein Laster, nicht nur wie eine Tugend.
Sie sind nicht verheiratet mit ihrem Land, sondern es
ist ihre Geliebte. Und wie sie eifersüchtig ist!

Kalle
Ich hab eine Freundin gehabt, die hat mich alle
Viertelstunden gefragt, ob ich sie noch lieb. Wenn
ich ins Bett mit ihr gegangen bin, hat sie gesagt, ich
lieb sie nur wegen dem Bett, und wenn ich
ihr zugehört hab, hat sie gesagt, wenn sie stumm

wär, würd ich sie nicht mehr mögen. Es war anstrengend.

Ziffel

In Frankreich ist einmal ein Dichter als Original berühmt worden, weil er ins Ausland gefahren ist. Sie
haben Bücher über ihn geschrieben, obs krankhaft
war oder echte Originalität.

Kalle

Die Liebe zum Vaterland soll dort so geschätzt sein,
daß sie sofort nach der Liebe zum Essen kommt. Und
die ist dort höher entwickelt als sonstwo, hör ich.
Aber das schlimmste ist, daß sie die Leute nur ganz
selten Patrioten sein lassen.

Ziffel

Wieso?

Kalle

Nehmen Sie diesen Krieg. Es hat damit angefangen,
daß der gemeine Mann links gewählt und den Siebenstundentag verlangt hat. Das Gold hat nichts
machen können, aber es war verschnupft und ist ver-
reist nach Amerika. So hat man nicht aufrüsten können. Gegen den Faschismus ist der gemeine Mann
gewesen aus demselben Grund, warum er für den
Siebenstundentag war, und so hats Krieg gegeben.
Die Generäle haben gesagt, sie können nichts machen,

98

wenn nicht aufgerüstet ist, und haben den Krieg abgebrochen, auch weil sie sich gedacht haben, daß der gemeine Mann nichts machen kann, wenn die fremden Truppen im Land sind und auf Ordnung schaun. Die Patrioten, die haben weiterkämpfen wollen, sind verhaftet worden und werden zu fühlen bekommen, was es heißt, gegen den Staat sein. In der Tschechoslowakei ists ganz ähnlich gewesen. Man muß ein kolossaler Patriot sein, damit man in so einem Land ein Patriot bleibt, das werden Sie zugeben, wie ich Sie kenne.

Ziffel

Es ist mir immer merkwürdig vorgekommen, daß man gerade das Land besonders lieben soll, wo man die Steuern zahlt. Die Grundlage der Vaterlandsliebe ist die Genügsamkeit, eine sehr gute Eigenschaft, wenn nichts da ist.

Kalle

Die Vaterlandsliebe wird schon dadurch beeinträchtigt, daß man überhaupt keine richtige Auswahl hat. Das ist so, als wenn man die lieben soll, die man heiratet, und nicht die heiratet, die man liebt. Warum, ich möcht zuerst eine Auswahl haben. Sagen wir, man zeigt mir ein Stückel Frankreich und einen Fetzen gutes England und ein, zwei Schweizer Berge und was Norwegisches am Meer und dann deut ich drauf und sag: das nehm ich als Vaterland; dann

würd ichs auch schätzen. Aber jetzt ists, wie wenn
einer nichts so sehr schätzt wie den Fensterstock, aus
dem er einmal heruntergefallen ist.

Ziffel

Das ist ein zynischer, wurzelloser Standpunkt, der
gefällt mir.

Kalle

Sonst hör ich immer, man soll verwurzelt sein. Ich
bin überzeugt, die einzigen Geschöpfe, die Wurzeln
haben, die Bäum, hätten lieber keine, dann könntens
auch in einem Flugzeug fliegen.

Ziffel

Es heißt, man liebt das, für das man Schweiß vergossen hat. Das wäre eine Erklärung für eine Er-
scheinung wie die Vaterlandsliebe.

Kalle

Ich nicht. Ich lieb nicht das, wofür ich Schweiß vergossen hab, nicht einmal alles, wofür ich meinen
Samen vergossen hab. Ich hab es einmal mit einer
Person zu tun gehabt, mit der bin ich bis nach Wann-
see hinausgefahren, weil mir ihre Figur gefallen hat,
sie hat allerhand hübsche Sachen gehabt; aber dann
hat sie zu Mittag gegessen und dann hat sie rudern
wollen und dann hat sie Kaffee haben müssen, und
am End war ich soweit, daß ich sie glatt hätt im

Gebüsch sitzen lassen, wenn sie auch nur noch eine halbe Minut über die Zeit mit dem Schlüpferausziehn gebraucht hätt. Und ich sag noch einmal, sie hat eine erstklassige Figur gehabt.

Ziffel

Ja, Sie sagten, mit hübschen Sachen. Wenn ich mir vorstell, in was für einem Land ich leben wollte, wähl ich eins, wo einer schon, wenn er einmal in einem gedankenlosen Augenblick so was murmelt wie »ganz hübsch hier die Gegend«, sofort ein Denkmal als Patriot kriegt. Deshalb, weil es in diesem Land ganz und gar unerwartet kommt, so daß es eine Sensation ist und wirklich geschätzt wird. Natürlich, einer der nichts murmelt, muß ebenfalls ein Denkmal kriegen, und zwar, weil er nichts Überflüssiges gesagt hat.

Kalle

Sie haben sich Ihr Land von den Patrioten verekeln lassen, dies besitzen. Ich denk manchmal: was für ein hübsches Land hätten wir, wenn wir es hätten! Ich erinner mich an ein Gedicht, das ein paar Vorzüg aufzählt. Sie müssen nicht glauben, ich habs mit Gedichten, das betreffende hab ich nur aus Zufall wo gesehn, und ich kanns auch nicht mehr vollständig, vor allem weiß ich nicht, was über die Provinzen gesagt wird. Sie kommen so vor, mit Lücken:

»Ihr freundlichen bayrischen Wälder, ihr Mainstädte
Fichtenbestandene Rhön, du, schattiger
                                        Schwarzwald!«

Dann kommt was, das ich vergessen hab, irgendwas
damit in Zusammenhang, und dann gehts weiter:

»Thüringens rötliche Halde, sparsamer Strauch der
                                        Mark und ihr
Schwarzen Städte der Ruhr, von Eisenkähnen durch-
                                        zogen.«

Lücke, irgend was dazwischen, dann:

»Auch du, vielstädtiges Berlin
Unter und über dem Asphalt geschäftig, ihr
Hanseatischen Häfen und Sachsens
Wimmelnde Städte und Schlesiens rauchüberzogene,
                                        nach Osten blickende!«

Der Sinn ist, man sollte es erobern, es würd sich
lohnen!

*Ziffel blickte Kalle verwundert an, konnte aber nichts
von dem Schafsmäßigen an ihm entdecken, das alle
haben, die etwas Patriotisches äußern und leerte
kopfschüttelnd sein Glas.*

XI
DÄNEMARK ODER DER HUMOR
ÜBER DIE HEGELSCHE DIALEKTIK

*Das Gespräch kam auch auf Dänemark, wo sowohl
Ziffel als auch Kalle sich aufgehalten hatten, weil
es auf der Strecke lag.*

Ziffel
Dort haben sie einen ganz sprichwörtlichen Humor.

Kalle
Aber keine Lifte. Ich sprech aus Erfahrung. Die Dänen sind sehr gemütliche Leut und haben uns gast-
lich aufgenommen. Sie haben sich die Köpf zerbrochen, wie sie uns was zugutekommen lassen könnten,
aber wir haben selber draufkommen müssen. Was
uns zum Vorteil geworden ist, war, daß sie in ihren
Häusern in der Hauptstadt keine Lifte haben, da
sind wir eingesprungen, denn es hat allgemein geheißen, daß es ein unwürdiger Zustand ist, wenn wir
Almosen nehmen müssen, anstatt, daß wir für Arbeit
bezahlt werden. Wir haben entdeckt, daß sie die
Mülleimer vom höchsten Stockwerk haben herunter-

tragen müssen, so haben wir das unternommen, es war würdiger.

Ziffel

Sie sind sehr witzig. Mit Vergnügen sprechen sie noch heut von einem Finanzminister, dem einzigen, von dem sie etwas für ihr Geld bekommen haben. Sie haben nämlich einen Witz von ihm bekommen. Als eine Kommission bei ihm erschien, um die Kasse zu revidieren, stand er mit Würde auf, schlug mit der Hand auf den Schreibtisch und sagte: »Meine Herrn, wenn Sie auf der Revision bestehen, bin ich nicht mehr Finanzminister.« Sie sind daraufhin wieder weggegangen und erst nach einem halben Jahr wiedergekommen, wo es sich herausgestellt hat, daß er die lautere Wahrheit gesagt hatte. Sie haben ihn eingesperrt und sein Andenken hochgehalten.

Kalle

Besonders stark hat sich ihr Humor im ersten Weltkrieg entwickelt. Sie sind neutral geblieben und haben gut verkauft. Alles, was so weit geschwommen ist wie bis nach England, haben sie dorthin als Schiff verkauft, d. h. sie habens nicht eigentlich als Schiff, sondern nur als Schiffsraum bezeichnet, was besser gestimmt hat. Dadurch haben sies zu einem großen nationalen Wohlstand gebracht. Ihre Verluste an Seeleuten waren die höchsten von allen kriegführenden Mächten.

104

Ziffel

Ja, sie haben dem Krieg eine heitere Seite abgewonnen. Sie haben auch Gulasch verkauft und in die Büchsen alles hineingesteckt, was ihnen zu stark gestunken hat, als daß sies hätten bei sich herumliegen lassen wollen. Als der zweite Weltkrieg ausgebrochen ist, sind sie erwartungsvoll herumgestanden, bis auf den letzten Knopf abgerüstet. Sie haben immer betont: wir sind zu schwach, um uns zu verteidigen, wir müssen Schweine verkaufen. Ein fremder Minister hat es ihnen einmal ausreden wollen und ihnen Mut zugesprochen und eine Jagdgeschichte aus den Steppen erzählt. Ein Adler ist auf einen Hasen herabgestoßen. Der Hase hat nicht mehr weglaufen können oder wollen. Er hat sich auf den Rücken gelegt und dem Adler mit seinen Läufen den Brustkorb eingetrommelt. Die Läufe sind beim Hasen sehr stark, geeignet zum Davonlaufen. Die Dänen haben die Geschichte sehr belacht, wegen ihrer komischen Seite, und haben dem Minister gesagt, sie seien ganz sicher vor den Deutschen, denn wenn die Deutschen Dänemark besetzten, würden sie bald dort keine Schweine mehr kaufen können, da dann die Russen sicher die Futterkuchen nicht mehr schicken würden, die man zum Schweinefüttern braucht. Sie haben sich so sicher gefühlt, daß sie nicht einmal erschrocken sind, wie ihnen die Deutschen einen Nichtangriffspakt vorgeschlagen haben.

Kalle

Sie waren Demokraten und haben darauf bestanden, daß jeder das Recht haben muß, einen Witz zu machen. Sie haben eine sozialdemokratische Regierung gehabt und den Ministerpräsidenten nur behalten, weil sein Bart so komisch war.

Ziffel

Sie waren alle überzeugt, daß der Faschismus bei ihnen nicht geht, weil sie zuviel Humor haben. Sie leben mehr oder weniger vom Schweineverkauf und so haben sie sich mit den Deutschen gut stellen müssen, denn die haben Schweine gebraucht, aber sie haben über sich selber gute Witze gemacht, daß man beim Schweinverkaufen leise treten muß, weils sonst dem Schwein schadet. Der Faschismus hat sich leider nicht daran gestoßen, daß er in Dänemark nicht ernst genommen worden ist, sondern ist eines Morgens mit einem Dutzend Flugzeuge in der Luft erschienen und hat alles besetzt. Die Dänen haben immer versichert, daß ihr Humor leider nicht übersetzbar ist, weil er aus lauter ganz kleinen sprachlichen Wendungen besteht, die eine eigene Komik haben, das mag auch dazu beigetragen haben, daß die Deutschen nicht gemerkt haben, daß sie nicht ernst genommen werden. Die Dänen haben für ihre Schwein jetzt nur noch Papierzettel bekommen, so daß ihr Humor jedenfalls auf eine schwere Probe gestellt sein wird, denn es ist was anderes, ob man an einen Schweine verkauft, den man verachtet, oder ob man von einem, den man verachtet, nur für ein Schwein nicht bezahlt wird.

Kalle

Aber einen Witz haben sie sich bei der Besetzung doch geleistet. Es war am frühen Morgen, daß die Deutschen gekommen sind, denn die Deutschen sind große Frühaufsteher, weils ihrer Polizei wegen einen unruhigen Schlaf haben. Ein dänisches Bataillon hat von der Besetzung Wind bekommen und hat sich sofort in Marschkolonne in Bewegung gesetzt. Sie sind auf den Sund zumarschiert, der Dänemark von Schweden trennt und sind viele Stunden marschiert, bis sie an die Fähre gekommen sind, wo sie Billette genommen haben und nach Schweden übergefahren sind. Drüben haben sie ein Interview gegeben, daß das Bataillon sich Dänemark kampfkräftig erhalten will. Die Schweden haben sie aber zurückgeschickt, solche Bataillone haben sie selber genug.

Ziffel

In einem Land leben, wo es keinen Humor gibt, ist unerträglich, aber noch unerträglicher ist es in einem Land, wo man Humor braucht.

Kalle

Wenn meine Mutter nichts gehabt hat, keine Butter, hat sie uns Humor aufs Brot gestrichen. Er schmeckt nicht schlecht, sättigt aber nicht.

Ziffel

Bei Humor denk ich immer an den Philosophen
Hegel, von dem ich mir in der Bibliothek Einiges ge-
holt habe, damit ich Ihnen philosophisch gewachsen bin.

Kalle

Erzählens mir drüber. Ich bin nicht gebildet genug,
daß ich ihn selber les.

Ziffel

Er hat das Zeug zu einem der größten Humoristen
unter den Philosophen gehabt, wie sonst nur noch der
Sokrates, der eine ähnliche Methode gehabt hat.
Aber er hat anscheinend Pech gehabt und ist in Preu-
ßen angestellt worden, und so hat er sich dem Staat
verschrieben. Ein Augenzwinkern ist ihm aber, so
weit ich sehen kann, angeboren gewesen wie ein Ge-
burtsfehler und er hats gehabt bis zu seinem Tod,
ohne daß es ihm zum Bewußtsein gekommen ist, hat
er immerfort mit den Augen gezwinkert, wie ein
anderer einen ununterdrückbaren Veitstanz hat. Er
hat einen solchen Humor gehabt, daß er sich so etwas
wie Ordnung z. B. gar nicht hat denken können ohne
Unordnung. Er war sich klar, daß sich unmittelbar
in der Nähe der größten Ordnung die größte Unordnung aufhält, er ist so weit gegangen, daß er sogar gesagt hat: an ein und demselben Platz! Unter
Staat hat er etwas verstanden, was dort entsteht, wo
die schärfsten Gegensätze zwischen den Klassen auf-

treten, so daß sozusagen die Harmonie des Staats von der Disharmonie der Klassen lebt. Er hat bestritten, daß eins gleich eins ist, nicht nur indem alles, was existiert unaufhaltsam und unermüdlich in was anderes übergeht und zwar in sein Gegenteil, sondern weil überhaupt nichts mit sich selber identisch ist. Wie jeden Humoristen hat ihn besonders interessiert, was aus den Dingen wird. Sie kennen den Berliner Ausruf: »Du hast dir aber verändert, Emil!« Die Feigheit der Tapfern und die Tapferkeit der Feigen hat ihn beschäftigt, überhaupt das, daß alles sich widerspricht und besonders das Sprunghafte, Sie verstehen, daß alles ganz ruhig und pomadig vorgeht und plötzlich kommt der Krach. Die Begriffe haben sich bei ihm immerfort aufm Stuhl geschaukelt, was zunächst einen besonders gemütlichen Eindruck macht, bis er hintüberfällt.

Sein Buch »Die große Logik« habe ich einmal gelesen, wie ich Rheumatismus hatte und mich selbst nicht bewegen konnte. Es ist eines der größten humoristischen Werke der Weltliteratur. Es behandelt die Lebensweise der Begriffe, dieser schlüpfrigen, unstabilen, verantwortungslosen Existenzen; wie sie einander beschimpfen und mit dem Messer bekämpfen und sich dann zusammen zum Abendessen setzen, als sei nichts gewesen. Sie treten sozusagen paarweise auf, jeder ist mit seinem Gegensatz verheiratet, und ihre Geschäfte erledigen sie als Paare, d. h. sie unterschreiben Kontrakte als Paar, führen Prozesse als Paar, veranstalten Überfälle und Einbrüche als Paar, schreiben Bücher und machen eidliche Aussagen als Paar, und zwar als völlig unter sich zerstrittenes, in jeder Sache uneiniges Paar! Was die Ordnung behauptet hat, bestreitet sofort, in einem Atem womöglich, die Unordnung, ihre unzertrennliche Partnerin. Sie können weder ohne einander leben noch miteinander.

Kalle
Handelt das Buch nur von solchen Begriffen?

Ziffel
Die Begriffe, die man sich von was macht, sind sehr wichtig. Sie sind die Griffe, mit denen man die Dinge bewegen kann. Das Buch handelt davon, wie man sich unter die Ursachen der vorgehenden Prozesse einschalten kann. Den Witz einer Sache hat er die Dialektik genannt. Wie alle großen Humoristen hat er alles mit todernstem Gesicht vorgebracht. Wo haben Sie übrigens von ihm gehört?

Kalle
In der Politik.

Ziffel
Das ist auch einer von seinen Witzen. Die größten Aufrührer bezeichnen sich als die Schüler des größten Verfechters des Staates. Nebenbei, es spricht für sie,

daß sie Humor haben. Ich habe nämlich noch keinen Menschen ohne Humor getroffen, der die Dialektik des Hegel verstanden hat.

Kalle

Wir haben uns sehr interessiert für ihn. Wir haben Auszüge von ihm bekommen. Man muß sich bei ihm an die Auszüg halten wie bei den Krebsen. Er hat uns interessiert, weil wir so viel gesehen haben, was so einen Witz gehabt hat, wie Sie ihn beschreiben. Daß z. B. bei denen von uns, die ausm Volk waren und in die Regierung gegangen sind, so komische Veränderung vorgekommen sind, indem sie in der Regierung nicht mehr ausm Volk, sondern in der Regierung waren. Zum ersten Mal hab ich das Wort 1918 gehört. Da war die Macht von dem Ludendorff so groß wie nie zuvor, er hat seine Nase in alles stecken können, die Disziplin war eisern, alles hat nach tausend Jahr ausgesehn und grad da warens nur noch Tage und dann hat er eine blaue Brill auf die Nasen gesetzt und ist über die Grenze gegangen, statt einer neuen Armee, wie er geplant gehabt hat. Oder nehmen Sie einen Bauern bei der Landagitation, die wir gemacht haben. Er ist gegen uns gewesen, weil er gesagt hat, wir wollen ihm alles wegnehmen, aber dann haben ihm die Bank und der Gutsbesitzer alles weggenommen. Einer hat mir gesagt: das sind die ärgsten Kommunisten. Wenn das nicht ein Witz ist!

111

Ziffel

Die beste Schul für Dialektik ist die Emigration. Die schärfsten Dialektiker sind die Flüchtlinge. Sie sind Flüchtlinge infolge von Veränderungen und sie studieren nichts als Veränderungen. Aus den kleinsten Anzeichen schließen sie auf die größten Vorkommnisse, d. h. wenn sie Verstand haben. Wenn ihre Gegner siegen, rechnen sie aus, wieviel der Sieg gekostet hat, und für die Widersprüche haben sie ein feines Auge. Die Dialektik, sie lebe hoch!

Wenn sie nicht befürchtet hätten, daß ein feierliches Aufstehen und Anstoßen im Lokal Aufsehen erregt hätte, wären Ziffel und Kalle unter keinen Umständen sitzen geblieben. Unter diesen Umständen erhoben sie sich nur im Geiste. Bald darauf aber schieden sie voneinander und entfernten sich, jeder an seine Statt.

XII
SCHWEDEN ODER DIE NÄCHSTENLIEBE
EIN FALL VON ASTHMA

Ziffel

Die Nazis sagen »Gemeinnutz geht vor Eigennutz«.
Das ist Kommunismus, und ich sags der Mamma.

Kalle

Sie reden wieder gegen besseres Wissen, weils bei
mir gegen den Strom schwimmen wollen. Der Satz
bedeutet nur, daß der Staat vor dem Untertan kommt,
und der Staat sind die Nazis, basta. Der Staat ver-
tritt die Allgemeinheit, indem er alle besteuert, her-
umkommandiert, am gegenseitigen Verkehr hindert
und in den Krieg treibt.

Ziffel

Das ist eine Übertreibung, die mir gefällt. Ohne
Übertreibung könnt man sagen, der Satz konstituiert
tatsächlich einen unüberbrückbaren Gegensatz zwischen dem Nutz des Einzelnen und dem Nutz der
Allgemeinheit. Das ist es wohl, was Ihre Verachtung
hervorruft. Auch ich würd sagen, in einem Land, wo

der Egoismus grundsätzlich diffamiert wird, ist was faul.

Kalle
In einer Demokratie, wie wir sie kennen ...

Ziffel
Sie brauchen das »wie wir sie kennen« nicht.

Kalle
Also in einer Demokratie heißt es für gewöhnlich, es muß ein Ausgleich geschaffen werden zwischen dem Egoismus derer, die was haben, und derer, die nichts haben. Das ist offenbarer Unsinn. Einem Kapitalisten Egoismus vorwerfen, heißt ihm vorwerfen, daß er ein Kapitalist ist. Einen Nutz hat überhaupt nur er, da es ein Ausnutz ist. Die Arbeiter können doch den Kapitalisten nicht ausnutzen. Der Satz »Gemeinnutz geht vor Eigennutz« müßt heißen »Wenns ums Ausnutzen geht, darf nicht einer einen andern oder alle ausnutzen, sondern alle müssen...« und jetzt sagen Sie mir gefälligst, was ausnutzen?

Ziffel
In Ihnen steckt ein Logistiker und Semantiker, nehmen Sie sich in acht. Es genügt völlig, wenn Sie sagen, ein Gemeinwesen muß so eingerichtet werden, daß was dem einzelnen nützt allen nützt. Dann muß der Egoismus nicht mehr beschimpft werden, son-

dern kann sogar öffentlich belobt und gefördert werden.

Kalle
Das kann nur da geschehen, wo ein Nutzen für den einzelnen nicht mehr nur entsteht, wo ein Mangel bei vielen geduldet oder geschaffen wird.

Ziffel
Nach Dänemark hab ich Schweden aufgesucht. Das ist ein Land, wo die Liebe zum Menschen stark entwickelt ist und auch die Liebe zum Beruf in einer höheren Bedeutung. Der interessanteste Fall von Liebe zum Beruf ist dort bei einem Menschen vorgekommen, der kein Schwede war. Das macht aber nichts für die Theorie, denn seine Liebe zum Beruf ist grad in Schweden besonders ausgebildet und auf die Probe gestellt worden. Die Geschichte ist einem Biologen passiert, und ich hab ihn gebeten, sie mir sachlich aufzunotieren. Wenn Sie wollen, les ich sie vor.

Er liest vor:

»Mit Hilfe einiger nordländischer Wissenschaftler, die mich mitunter in meinem Institut besucht oder Arbeiten von mir in ihren Zeitschriften veröffentlicht hatten, bekam ich die Genehmigung zu einem Aufenthalt in Nordland. Das einzige, was von mir verlangt wurde, war, daß ich unter keinen Umständen in Nordland irgendeine wissenschaftliche oder andere Arbeit verrichten würde. Mit einem Seufzer unterschrieb ich diese Bedingung, betrübt, daß ich meinen Freunden in Nordland nun nicht mehr wie dereinst behilflich sein durfte. Jedoch verstand ich, daß ich, der ihre Freundschaft durch wissenschaftliche Tätigkeit gewonnen hatte, sie mir nunmehr nur durch die Aufgabe dieser Tätigkeit erhalten konnte. Denn es mochte zwar in Nordland nicht zu viele Physiker für die Physik geben, es gab aber nicht genug Institute für die Physiker. Sie wollten leben.

Die Unannehmlichkeit für mich bestand darin, daß ich mir so meinen Unterhalt nicht verdienen konnte und also auf die Güte meiner Kollegen angewiesen war. Sie mußten sich bemühen, mir dafür, daß ich nichts leistete, Stipendien zu verschaffen, sie taten, was sie konnten, so daß ich nicht hungerte.

Leider fiel ich bald nach meiner Ankunft in Nordland in eine schwere Krankheit. Ein bösartiges Asthma quälte mich so, daß ich bald ganz erschöpft war und ein schneller Kräfteverfall einsetzte. Ich schleppte mich mühsam, ein gebrechliches Gestell aus Haut und Knochen, von Arzt zu Arzt, aber keiner konnte mir Erleichterung verschaffen.

Da hörte ich, als ich schon am Ende meiner Kräfte angelangt war, daß sich in der Stadt ein ehemals berühmter Arzt aufhielt, der gerade für Asthma eine neue, sehr wirksame Behandlung gefunden und ausgebildet hatte. Er war sogar ein Landsmann von mir.

Ich kroch zu ihm und klagte ihm, geschüttelt von Hustenanfällen, mein Leid.

Er hauste in einem sehr kleinen Zimmer im Hinterhaus, und der Stuhl, auf den ich gesunken war, war der einzige, den es gab, so daß er stehen mußte. Gelehnt an eine wacklige Kommode, auf der die Reste einer kümmerlichen Abendmahlzeit standen – ich hatte ihn im Essen unterbrochen –, begann er mich auszufragen.

Seine Fragen setzten mich in Erstaunen. Sie betrafen nicht, wie ich erwarten mußte, meine Krankheit, sondern ganz andere Dinge, meine Beziehungen und Bekanntschaften, Anschauungen und Steckenpferde usw. Als wir uns etwa eine Viertelstunde unterhalten hatten, brach er plötzlich ab und gestand mir lächelnd, auf was es ihm bei seiner seltsamen Ordination angekommen war.

Er wollte sich nicht meines physischen Zustands, sondern meines Charakters versichern, sagte er mir, genau wie ich selbst hatte er, um Aufenthaltserlaubnis in Nordland zu bekommen, unterschrieben, daß er seinen Beruf nicht ausüben würde. Wenn er mich ärztlich behandelte, riskierte er, aus dem Land verwiesen zu werden. Er mußte, bevor er mich untersuchte, herausbringen, ob ich ein anständiger Mensch war, der nicht ausplaudern würde, daß er mir geholfen hatte.

Ich versicherte ihm ernsthaft, von Husten unterbrochen, daß für mich ein guter Dienst einen andern wert sei und daß ich ihm versprechen könnte, es sogleich zu vergessen, wenn er mich geheilt haben würde. Er schien ungemein erleichtert und bestellte mich in eine Klinik, in der er unbezahlten Assistenzdienst machen durfte.

Der Abteilungsarzt war ein vernünftiger Mann und ließ dem Spezialisten freie Hand in gewissen Fällen. Leider hatten wir das Mißgeschick, daß er schon am nächsten Morgen auf Urlaub ging. So mußte X seinem Stellvertreter den Fall vortragen, einem Menschen, den er nicht kannte. Er bekam den Bescheid, daß er den Patienten kommen lassen konnte.

Ich war vor der Zeit da und unterhielt mich mit X in einem kleinen Ärztezimmer der Klinik.

›Ich werde nicht zur Praxis zugelassen‹, sagte X, ›weil die Ärzteschaft sich gegen die Konkurrenz schützen muß. Sie stützt sich auf ein Gesetz, das einmal gegen die Kurpfuscherei erlassen wurde. Es liegt natürlich im Interesse der Patienten, daß nicht Leute, die keine Ahnung haben, sie behandeln.‹

Als wir in den Operationssaal traten, war der stellvertretende Arzt schon da. Merkwürdigerweise war er dabei, sich eben die Hände zu desinfizieren.

Er war ein lustiger und lauter Mann und sagte, sich die Hände bürstend und den kleinen, kahlen Kopf zu mir herumdrehend:

›So, da wollen wir also mal die neue Methode Ihres Freundes probieren. Nützts nichts, dann schadets auch nichts. Ich bin immer dafür gewesen, daß neue Sachen gründlich ausprobiert werden.‹

›Ich dachte, ich könnte Ihnen die kleine Operation abnehmen‹, sagt X, bemüht, seinen Schrecken zu verbergen. ›Sie wissen, ich habe das hundertmal gemacht.‹

›Wo denken Sie hin?‹ rief der Stellvertreter. ›Das machen wir schon. Ich habe Sie gut verstanden. Sie können mir ja den Punkt bezeichnen, wenn Sie wirklich nervös sind. Und haben Sie‹, wandte er sich zu mir, ›keine Angst, ich werde natürlich keine Rechnung schreiben. Ich weiß, Sie sind Emigrant!‹

Und keine Andeutung von X, so dringend sie wurde, und nicht mein furchtsamer Blick hielt ihn ab, sein Bestes zu tun.

Es war nicht sehr gut. Er fand den Punkt in meiner Nase nicht und meine Anfälle nahmen nicht ab. Dagegen schwollen die Schleimhäute durch die verunglückte Operation an, und X konnte, auch als der Abteilungsarzt aus dem Urlaub zurückkam, zunächst nichts machen. Erst eine ganze Woche später war es ihm möglich, die Behandlung anzufangen.

Daraufhin besserte sich mein Zustand in wunderbarer Weise. X behandelte mich alle paar Tage, und es gab keinen Anfall mehr. Ich saß auf dem Fensterbrett meines Zimmers und spielte die Mundharmonika, was ich seit langer Zeit nicht mehr gekonnt hatte. Schon der Gedanke daran hätte mir noch vor zwei Wochen einen entsetzlichen Hustenanfall erzeugt.

Aber dann kam ich eines Tages in die Klinik und fand X nicht vor. ›Der Doktor arbeitet nicht mehr hier‹, sagte die Schwester kalt und ging ins Zimmer des Abteilungsarztes.

Ich suchte X auf. Es war gegen Mittag, aber er lag noch zu Bett. Das verwunderte mich sehr, da er ein sehr ordentlicher und lebhafter Mann war. Denn er war nicht krank.

›Ich spare so Kohlen‹, entschuldigte er sich, ›und ich wüßte nicht, was ich tun sollte, wenn ich aufstünde.‹ Es stellte sich heraus, daß ein Zahnarzt, der ihn in der Klinik gesehen hatte, an die Behörden geschrieben und ihn unerlaubter Tätigkeit wegen angezeigt hatte. Die Klinik mußte ihn entlassen. Er durfte sie nicht mehr betreten.

›Ich kann nichts mehr machen‹, sagte er zögernd und mit leiser Stimme. ›Ich muß damit rechnen, daß man mich jetzt überwacht, und ich kann ausgewiesen werden.‹ Er sah mich nicht an dabei, und ich blieb noch einige Minuten, auf dem einzigen Stuhl sitzend und eine lahme, künstliche Konversation führend.

Zwei Tage später hatte ich wieder einen Anfall. Es war in der Nacht, und ich war besorgt, daß meine Zimmerwirte durch mein qualvolles Husten gestört wurden. Ich bezahlte weniger als die reguläre Miete.

Am nächsten Vormittag, ich hatte zwei weitere Anfälle hinter mir und saß keuchend am Fenster, klopfte es und X trat herein.

›Sie brauchen nichts zu sagen‹, sagte er schnell, ›ich

sehe selbst, es ist eine Schande. Ich habe eine Art Instrument mitgebracht, und wenn Sie die Zähne zusammenbeißen, denn betäuben kann ich nicht, will ich einen Versuch unternehmen.‹

Er zog aus der Tasche ein Zigarrenetui und kramte aus einer Watteschicht eine Pinzette heraus, die er sich zurechtgebogen hatte. Ich saß auf meinem Bett, und hielt selbst die Schreibtischlampe für ihn, während er mir den Nerv ätzte.

Aber als er wegging, hielt ihn auf dem Flur meine Vermieterin auf und fragte ihn, ob er nicht ihrer kleinen Tochter in den Hals schauen könnte. Sie wußten also, daß er Arzt war. Die Behandlung konnte nicht mehr in meinem Zimmer stattfinden.

Das war sehr schlimm, denn weder ich noch X wußten einen sicheren Ort. Die nächsten zwei Tage, in denen ich mich Gott sei Dank besser fühlte, hatten wir mehrere Besprechungen und am Abend des zweiten teilte X mir mit, daß er einen Ort gefunden habe. Er sprach energisch wie immer, ganz der große Arzt (der er weiß Gott war) und ohne auch nur mit einem Wort die Gefahr erwähnend, in die er sich, mich behandelnd, begab.

Der sichere Ort war die Toilette eines großen Hotels in der Nähe des Bahnhofs. Auf dem Wege hin warf ich einen Seitenblick auf X und das Absonderliche des Vorgangs kam mir zum Bewußtsein. Er ging, verhältnismäßig hochgewachsen und stattlich, in einem teuren Pelzmantel, den er aus dem Schiffbruch gerettet haben mußte, und niemand hätte ihm angesehen, daß er nicht in seine Klinik oder zu einer seiner berühmten Vorlesungen ging, sondern in die Toilette eines Hotels, das er zu seinem Operationssaal ausersehen hatte.

Die Lokalität war tatsächlich um diese Stunde völlig menschenleer, hatte auch keine Bedienung und lag im Keller, so daß man die Schritte sich nähernder Leute, lange bevor sie eintreten konnten, hören mußte. Nur die Beleuchtung war sehr schwach.

X stellte sich so, daß er die Eingangstür überblicken konnte. Seine zauberhafte Geschicklichkeit überwand das trübe Licht des Raums und siegte über die Armseligkeit des mühsam zurechtgebogenen Werkzeugs, und während mir bei dem überaus heftigen Schmerz die Tränen in die Augen traten, dachte ich doch an den ungeheuren Triumph, den die Wissenschaft in unserem Jahrhundert erkämpft hatte.

Plötzlich ertönte hinter X eine Stimme in nordischer Sprache:

›Was machen Sie hier?‹

Ein dicker Mann, ziemlich gewöhnlich aussehend, eine graue Pelzmütze auf dem Kopf, war aus einem der kleinen, weißbetürten Toilettenräumen getreten und blickte mißtrauisch blinzelnd auf uns, während er noch seine Kleidung ordnete. Ich spürte, wie Xens Körper förmlich erstarrte, aber seine Hand zitterte keinen Augenblick. Mit einer leichten und sicheren Bewegung zog er die Pinzette aus meiner schmerzenden Nase. Erst dann drehte er sich nach dem fremden Mann um.

Dieser rührte sich nicht vom Platz, wiederholte auch seine Frage nicht. Auch X sprach nicht, er murmelte nur Unverständliches, während er hastig die Pinzette in die Rocktasche steckte, als sei sie ein Dolch, mit dem er mich hatte ermorden wollen. Seinem wissenschaftlichen Gewissen mußte es als der am meisten inkriminierende Teil der ganzen illegalen Aktion erscheinen, daß er sie mit einem so jämmerlichen und unprofessionellen Instrument ausführte. Mit einer unsicheren Geste – nun zitterten seine Hände doch – nahm er seinen schweren Pelzmantel vom Kachelboden auf, warf ihn, jetzt tief erblaßt, über den Arm und schob mich der Tür zu.

Ich sah mich nicht um. Es kam kein Laut aus der Richtung des Dicken. Wahrscheinlich starrte er uns nur entgeistert nach, aus unserem scheuen Benehmen ersehend, daß er irgendeinen ungesetzlichen Vorgang unterbrochen hatte, vielleicht auch erleichtert, daß wir nicht gegen ihn Front gemacht hatten. Schließlich waren wir zu zweit.

Wir gingen, ohne aufgehalten zu werden, durch die Halle des Hotels, dann, die Köpfe über das Kinn in unsere Mäntel vergraben, die Straße entlang und trennten uns, ohne viel Worte, an der ersten Straßenecke.

X war schon über fünf Schritte von mir entfernt, als ich von einem wahren Wirbelsturm von Husten über-

fallen wurde, der mich an die Häuserwand warf. Ich
sah noch, wie sich X im Gehen nach mir umblickte,
sein Gesicht schien mir verzerrt. Ich glaube, daß ich
mir an diesem Abend die Erkältung holte, die mich
für drei Wochen auf das Lager warf. Sie kostete mich
beinahe das Leben, aber danach war mein Asthma
verschwunden.«

Kalle

Ich kann mir denken, daß dieser X ein wenig er-
staunt gewesen sein dürfte, wie er im Ausland gemerkt hat, daß Patienten eigentlich Kunden sind.

Ziffel

Diese Seite der Wissenschaft bleibt den Wissenschaftlern als Wissenschaftlern leicht verborgen, sie kennen
sie nur als Berufsmenschen. Der Mann, der über die
jonischen Philosophen liest, hat nicht das Gefühl, daß
er da ebenso was verkauft wie ein Kolonialwaren-
händler.

Kalle

Seine Schüler sind Kunden. Sogar der Kranke, der
die letzte Ölung von einem Pfarrer bekommt, ist sein
Kunde. Es handelt sich um Kundendienst. Die Geschichte paßt in Ihre Sammlung von Fällen. Warum,
es ist unheimlich, in einem Land sein, wo Sie davon
abhängen, ob einer so viel Nächstenliebe aufbringt,
daß er Ihretwegen seine eigenen Interessen aufs

Spiel setzt. Sie sind sicherer in einem Land, wos keine
Nächstenliebe braucht, damit Sie kuriert werden.

Ziffel

Wenn Sie zahlen können, sind Sie nirgends auf
Nächstenliebe angewiesen.

Kalle

Ja, wenn.

*Bald darauf schieden sie voneinander und entfern-
ten sich, jeder an seine Statt.*

XIII
LAPPLAND ODER SELBSTBEHERRSCHUNG UND TAPFERKEIT / UNGEZIEFER

Ziffel und Kalle beschnüffelten das Land, Kalle, indem er als Handelsreisender für Büroartikel die Nase bald hierhin, bald dorthin steckte, Ziffel, indem ihm als Verwendung suchendem Chemiker bald hier, bald dort zu nahe getreten wurde. Mitunter trafen sie sich im Bahnhofsrestaurant der Hauptstadt, einem Lokal, das ihnen beiden wegen seiner Ungemütlichkeit liebgeworden war. Sie tauschten bei einem Glas Bier, das kein Bier war, und einer Tasse Kaffee, der kein Kaffee war, ihre Erfahrungen aus.

Ziffel
Caesar beschrieb Gallien. Er kannte es als das Land, wo er die Gallier geschlagen hatte. Ziffel, beschreibe G., du kennst es als das Land, wo du geschlagen wurdest! Ich krieg keine Stellung hier.

Kalle
Das ist eine große Eröffnung, wie ich sie von Ihnen erwart. Mehr braucht gar nicht zu kommen, Sie kön-

nen sich also beruhigen; ich weiß, Sie haben nichts
gesehn.

Ziffel

Ich hab genug gesehn, um zu wissen, es ist ein Land,
das bedeutende Tugenden ausbildet. Zum Beispiel
die Selbstbeherrschung. Es ist ein Paradies für die
Stoiker, Sie werden schon was von stoischer Ruhe gelesen haben, mit der diese antiken Philosophen Un-
gemach aller Art aufgenommen haben sollen. Es
heißt: wer andere beherrschen will, muß lernen, sich
selber zu beherrschen. Aber es müßt heißen: wer
andere beherrschen will, muß ihnen lehren, sich selbst
zu beherrschen. Die Leut in diesem Land werden also
nicht nur von den Gutsbesitzern und Fabrikanten
beherrscht, sondern auch von sich selber, was Demokratie genannt wird. Das erste Gebot der Selbstbeherrschung heißt: das Maul halten. In der Demokratie kommt dazu die Redefreiheit, und der Ausgleich
wird dadurch geschaffen, daß es verboten ist, sie zu
mißbrauchen, indem man redet. Haben Sie das verstanden?

Kalle

Nein.

Ziffel

Das macht nichts. Es ist nur in der Theorie schwer,
in der Praxis ist es ganz einfach. Es darf alles bespro-

chen werden, was nicht zu den militärischen Angelegenheiten gehört. Darüber, was militärische Angelegenheiten sind, bestimmt das Militär, das ja hier Fachkenntnisse besitzt. Das Militär hat die größte Verantwortung. Infolgedessen hat es auch das größte Verantwortlichkeitsgefühl und kümmert sich um alles. So werden alle Angelegenheiten militärische Angelegenheiten und dürfen nicht besprochen werden.

Kalle

Sie haben einen Reichstag. In der X-Straße wohnt eine Frau mit fünf Kindern, eine Witwe, die sich mit Waschen durchbringt. Sie hat gehört, daß Reichstagswahl ist und ist zum Distrikt gegangen, wo die Listen ausgelegen sind, hat ihren Namen aber nicht drin gefunden. Sie hat Krach machen wollen, weil sie geglaubt hat, sie wird betrogen, man hat ihr aber gezeigt, daß der Reichstag ein Gesetz gemacht hat, nach dem solche Leut, die vom Staat Unterstützung bekommen haben, nicht wählen dürfen. Sie hat hauptsächlich wählen wollen, weil die Unterstützung so winzig war und weil sie überhaupt keine Unterstützung hat haben wollen, sondern anständige Bezahlung, wenn sie den ganzen Tag arbeitet und sie soll hinausgegangen sein mit dem Ausspruch: »Zum Teufel mit eurem Reichstag!« Die Polizisten haben ein Auge zugedrückt und es ist ihr nichts passiert, heißt es.

Ziffel

Das überrascht mich, daß sie sich nicht hat beherrschen können.

Kalle

Es ist auch gefährlich. Besonders, wenns alle können und einer nicht. Wenns alle nicht können, ists was anderes, dann ists gar nicht nötig. Das ist wie mit den Sitten und Gebräuchen überhaupt. Wenns wo Sitte ist, daß man einen roten Strohhut im Winter trägt, könnens ruhig einen roten Strohhut im Winter tragen. Wenn sich in einem Land keiner beherrschen kann, ists überflüssig.

Ziffel

Es gibt eine Geschichte, an die ich in den letzten Tagen erinnert worden bin. Ein Mann kommt an den Fluß, wo eben eine Fähre mit Leuten abgeht. Er ist in Eile und springt hinüber. Man macht ihm Platz, wiewohl die Leut schon dicht gedrängt stehn, und es wird nichts gesprochen, bis die Fähre am andern Ufer ist. Wo die Fähre hält, wartet eine Handvoll Soldaten, die nehmen die Passagiere in Empfang und treiben sie, das ganze Schock, an eine Mauer. Dort werden sie aufgestellt, die Soldaten laden ihre Gewehre, stellen sich in Position und auf das Kommando »Feuer« wird der erste erschossen. Dann, nach der Reih, kommen die übrigen dran, bis nur noch der Mann dasteht, der am Schluß auf die Fähre aufge-

sprungen ist. Der Offizier will gerad das Kommando
»Feuer« geben, da tritt ein Schreiber dazwischen und
vergleicht auf einer Liste die Zahl mit der Zahl
derer, die schon erschossen sind. Er findet heraus, daß
sie einen zuviel haben und der Mann wird verhört,
warum er mitgegangen ist und nichts gesagt hat, wie
man Anstalten getroffen hat, ihn zu erschießen. Was
ist herausgekommen? Er hat drei Brüder und eine
Schwester gehabt. Der erste ist erschossen worden,
weil er gesagt hat, er will nicht zum Militär. Der
zweite ist aufgehängt worden, weil er gesagt hat, er
hat gesehn, wie ein Beamter was gestohlen hat, und
der dritte, weil er gesagt hat, er hat gesehen, wie sie
seinen zweiten Bruder erschossen haben. Und die
Schwester ist erschossen worden, weil sie was gesagt
hat, was man nicht erfahren hat, weils zu gefährlich
war. Daraus, erzählt er dem Offizier, hat er den
Schluß gezogen, daß Reden gefährlich ist. Er hat alles
ganz ruhig erzählt, aber zum Schluß ist ihm die Galle
übergelaufen beim Gedanken an die Untaten und er
hat noch was hinzugefügt und so habens ihn erschießen müssen. Das könnt in G. passiert sein.

Kalle

Ich hör allgemein, es ist ein sehr schweigsames Volk.
Das gilt als eine Nationaleigentümlichkeit. Da es
eine gemischte Bevölkerung mit zwei Sprachen ist,
könnt man also sagen: das Volk schweigt in zwei
Sprachen.

130

Ziffel

Das könnt man sagen. Aber nicht laut.

Bevor sie die Sitzung aufhoben, machte Kalle einen geschäftlichen Vorschlag. Er hatte auf seinen Streifzügen herausgefunden, daß die Stadt viel von Wanzen zu leiden hatte. Merkwürdigerweise gab es keine Anstalten, welche die Wanzen vertilgten. Mit einem kleinen Kapital konnte man eine solche gründen. Ziffel versprach, sich den Vorschlag zu überlegen. Er zweifelte ein wenig daran, daß die Bevölkerung leicht dazu gebracht werden könnte, gegen das Ungeziefer etwas zu unternehmen. Sie verfügte über zuviel Selbstbeherrschung. So gingen die beiden unschlüssig und entfernten sich, jeder an seine Statt.

XIV
ÜBER DEMOKRATIE / ÜBER DAS EIGEN-
TÜMLICHE WORT »VOLK« / ÜBER DIE
UNFREIHEIT UNTER DEM KOMMUNIS-
MUS / ÜBER DIE FURCHT VOR DEM
CHAOS UND DEM DENKEN

Als sie sich wieder trafen, schlug Kalle vor, das Lo-
kal zu wechseln. Ein Automatenrestaurant, weniger
als zehn Minuten entfernt, schien ihm besseren Kaffee
auszuschenken. Der Dicke sah unglücklich aus und
schien sich von einem Wechsel der Umgebung nichts
zu erwarten. So blieben sie.

Ziffel
Demokratie zu zweit ist sehr schwierig. Wir müßten
die Abstimmung auf Pfunde einstellen, damit ich
eine Mehrheit kriegen könnte. Es wäre zu rechtferti-
gen, denn mein Hintern hängt von mir ab, wir können also annehmen, daß ich ihn dazu bringen könnte,
mit mir zu stimmen.

Kalle
Sie schaun im ganzen demokratisch aus, ich glaub,
es kommt davon, daß Sie beleibt sind, und das wirkt
schon an und für sich verträglich. Unter demokratisch
versteht man etwas Freundliches, d. h. wenns bei

einem besseren Herrn gesehn wird, bei einem Hungerleider ists eher unverschämt. Ein Bekannter von mir, ein Kellner, hat sich sehr über einen reichen Weizenhändler beklagt, der nie ein anständiges Trinkgeld gegeben hat, weil er, wie er laut zu einem andern Gast geäußert hat, als echter Demokrat den Kellner nicht hat demütigen wollen. »Ich ließe mir auch kein Trinkgeld anbieten«, hat er gesagt, »und soll ich ihn als geringer ansehen?«

Ziffel
Ich glaub nicht, daß man von demokratisch als von einer Eigenschaft reden kann.

Kalle
Warum nicht? Wenn ich find, daß z. B. auch Hunde, wenn sie gut gefressen haben, ehr demokratisch ausschaun, als wenn nicht? Das Ausschaun muß eine Bedeutung haben, ich denk, es ist die Hauptsache, nehmen Sie Finnland. Es schaut demokratisch aus; wenn Sie das Ausschaun wegnehmen und sagen, darauf pfeifen Sie, was bleibt dann übrig? Bestimmt keine Demokratie.

Ziffel
Ich hab den Eindruck, wir gehen doch besser in Ihr Automatenkaffee.

Ziffel stand ächzend auf und langte nach seinem
Paletot. Aber Kalle hielt ihn zurück.

Kalle

Werdens nicht schwach, das ist der Fehler bei allen
Demokratien. Sie können nicht bestreiten, daß
Deutschland absolut demokratisch ausgeschaut hat,
bis es faschistisch ausgeschaut hat. Dem Gastwirt
Ebert haben die besiegten Generäle eine eigene lange
Leitung ins Große Hauptquartier bewilligt, damit er
hat telephonieren können, wenn das Volk unruhig
geworden ist. Die Ministerialräte und die hohen
Richter haben mit ihm konferiert, als obs das Natür-
lichste von der Welt wär, und wenn sich ab und zu
einer die Nase zugehalten hat, ist das nur ein schla-
gender Beweis gewesen, daß sie nicht mehr hingehen
konnten, wo sie wollten, sondern zum Gastwirt Ebert
haben gehen müssen, sonst wars aus mit den Posten
und Pensionen. Ich hab gehört, daß einer von den
Ruhrindustriellen, ein bekannter Alldeutscher, sich
einmal zu sträuben gewagt hat. Da hat der Gastwirt
ihn höflich aber bestimmt gebeten, sich auf einen
Stuhl zu setzen, und dann hat er sich von zwei So-
zialdemokraten hochheben lassen und hat dem Industriellen den Fuß auf den Nacken gesetzt. Die Herren haben eingesehen, daß sie eine Volksbewegung
hinter sich brauchen, sonst gehts nicht. Ein paar ge-
schickte Operationen haben da zum Ziel geführt. Zuerst haben sie durch die Inflation den Mittelstand

geschröpft, daß er ruiniert war. Die Bauern sind durch Tarif- und Zollpolitik zugunsten der ostelbischen Junker ruiniert worden. Von den ausländischen Banken haben sich die Herrn Milliarden gepumpt und ihre Fabriken so durchrationalisiert, daß sie mit viel weniger Arbeitern ausgekommen sind, und so ist ein großer Teil der Arbeiterschaft in eine Bettelschaft verwandelt worden. Aus den ruinierten Mittelständlern, Bauern und Arbeitern haben sie dann die nationalsozialistische Volksbewegung gebildet, mit der sie bequem einen neuen Weltkrieg anzetteln haben können. Alles ist gegangen, ohne daß die innere Ordnung gestört worden ist. Sie ist garantiert worden durch die neue Armee von bezahlten Soldaten, die ihnen die Alliierten von Anfang an gegen den inneren Feind erlaubt haben.

Ziffel

Es war dennoch eine Demokratie, wenn auch die Demokraten zu gutmütig waren. Sie haben nicht verstanden, was Demokratie heißt, ich meine in der wörtlichen Übersetzung. Volksherrschaft.

Kalle

Das Wort »Volk« ist ein eigentümliches Wort, ist Ihnen das schon aufgefallen? Es hat eine ganz andere Bedeutung nach außen als nach innen. Nach außen, nach den andern Völkern hin, gehören die Großindustriellen, Junker, höheren Beamten, Generäle,

Bischöfe usw. natürlich zum deutschen Volk, zu keinem andern. Aber nach innen hin, wo es sich also um die Herrschaft handelt, werden Sie diese Herrn immer vom Volk reden hören als von »der Masse« oder »den kleinen Leuten« usw.; sie selber gehören nicht dazu. Das Volk tät besser, auch so zu reden, nämlich daß die Herren nicht dazugehören. Dann bekäme das Wort »Volksherrschaft« einen ganz vernünftigen Sinn, das müssen Sie zugeben.

Ziffel
Das wär aber dann keine demokratische Volksherrschaft sondern eine diktatorische.

Kalle
Das ist richtig, es wär eine Diktatur der 999 über den tausendsten.

Ziffel
Das wäre alles ganz schön und recht, wenn es nicht den Kommunismus bedeuten würde. Sie werden mir zugeben, daß der Kommunismus die Freiheit des Individuums vernichtet.

Kalle
Fühlen Sie sich besonders frei?

Ziffel

Nicht besonders, wenn Sie mich so fragen. Aber warum soll ich die Unfreiheit im Kapitalismus mit der Unfreiheit im Kommunismus eintauschen? Die letztere scheinen Sie ja immerhin zuzugeben.

Kalle

Ohne weiteres. Ich versprech da nichts. Absolut frei ist niemand, der die Herrschaft hat, auch das Volk nicht. Die Kapitalisten sind auch nicht absolut frei, wo denken Sie hin? Sie sind z. B. nicht so frei, daß sie einen Kommunisten zum Präsidenten einsetzen können. Oder daß sie so viel Anzüge herstellen können, als gebraucht werden, nur so viel als gekauft werden können. Im Kommunismus wiederum ist es Ihnen verboten, sich ausbeuten zu lassen, diese Freiheit ist schon gestrichen.

Ziffel

Ich werd Ihnen was sagen: die Herrschaft ergreift das Volk nur im äußersten Notfall. Es hängt damit zusammen, daß der Mensch überhaupt nur im äußersten Notfall denkt. Nur mit dem Wasser am Hals. Die Leute fürchten das Chaos.

Kalle

Aus Furcht vor dem Chaos werden sie am End in Kellern unter gebombten Häusern hocken, SS-Leute mit Revolvern hinter sich.

Ziffel

Sie werden nichts im Magen haben und nicht hinausgehen können, ihre Kinder zu begraben, aber es wird Ordnung herrschen und sie werden fast gar nicht zu denken brauchen.

Ziffel richtete sich auf. Sein Interesse, während Kalles politischen Ausführungen etwas ermattet, belebte sich wieder.

Ziffel

Nicht daß der falsche Eindruck bei Ihnen entsteht, ich kritisiere die Leute, ganz im Gegenteil. Scharfes Denken ist schmerzhaft. Der vernünftige Mensch vermeidet es, wo er kann. In Ländern, wo es in solchem Umfang nötig ist wie in den mir bekannten, kann man wirklich einfach nicht leben. Nicht, was ich leben heiße.

Bekümmert leerte er sein Glas. Bald darauf schieden sie voneinander und entfernten sich, jeder an seine Statt.

XV
DAS DENKEN ALS EIN GENUSS / ÜBER
GENÜSSE / WORTKRITIK / DAS BÜRGER-
TUM HAT KEINEN SINN FÜR GESCHICHTE

Kalle

Es interessiert mich, daß ich bei Ihnen, einem Intellektuellen, so eine Antipathie gegen das Denken-
müssen entdeck. Dabei haben Sie nichts gegen Ihren
Beruf, im Gegenteil.

Ziffel

Außer, daß es ein Beruf ist.

Kalle

Das ist die moderne Entwicklung. Es ist eine ganze
Kaste geschaffen worden, eben die Intellektuellen,
die das Denken besorgen müssen und dafür eigens
trainiert werden. Sie müssen ihren Kopf ausvermie-
ten an die Unternehmer wie wir unsere Hände. Natürlich haben Sie den Eindruck, daß Sie für die Allgemeinheit denken; aber das ist, wie wenn wir meinen
würden, daß wir für die Allgemeinheit Autos bauen –
was wir nicht meinen, weil wir wissen, es ist für die Unternehmer, und zum Teufel mit der Allgemeinheit!

Ziffel

Sie meinen, ich denk an mich selber nur, indem ich denk, wie ich verkaufen kann, was ich denk, und was ich denk ist nicht für mich, d. h. für die Allgemeinheit?

Kalle

Ja.

Ziffel

Ich hab gelesen, daß bei den Amerikanern, wo die Entwicklung weiter voran ist, Gedanken allgemein als Waren erkannt worden sind. In einer führenden Zeitung hat gestanden: »Die Hauptaufgabe des Präsidenten ist es, dem Kongreß und dem Land den Krieg zu verkaufen.« Gemeint war die Idee, in den Krieg einzutreten. In Diskussionen über wissenschaftliche oder künstlerische Probleme sagt man, wenn man seine Zustimmung ausdrücken möchte: Sie, das kauf ich. Das Wort »überzeugen« ist einfach durch das treffendere Wort »verkaufen« ersetzt.

Kalle

Und unter diesen Umständen könnens leicht eine Aversion gegen das Denken kriegen. Es ist kein Genuß.

Ziffel

Jedenfalls stimmen wir ein darüber, daß Genußsucht eine der größten Tugenden ist. Wo sie es schwer hat oder gar verlästert wird, ist etwas faul.

Kalle

Der Genuß am Denken ist, wie gesagt, weitgehend ruiniert. Die Genüsse sinds überhaupt. Erstens sind sie teuer. Sie zahlen für einen Blick auf die Landschaft, eine schöne Aussicht ist eine Goldgrube. Sie zahlen sogar fürs Scheißen, indem Sie einen Abort mieten müssen. Ich hab in Stockholm einen gekannt, der regelmäßig mich besucht hat, ich hab gedacht, wegen meiner Unterhaltung, es war aber wegen meinem Abort, seiner war abschreckend.

Ziffel

Der französische Dichter Villon hat ein Beschwerdelied darüber geschrieben, daß er sich nicht anständig nähren kann, weil er dadurch unfähig zur Liebe wird. An den Genuß beim Essen hat er schon gar nicht mehr gedacht.

Kalle

Oder das Geschenkmachen. Von der Gastfreundschaft bis zum Aussuchen von einem Taschenmesser für den Kleinen. Oder gehen Sie ins Kino. Da soll Ihnen Spaß machen, was den Leuten, die den Film gemacht haben, keinen Spaß gemacht hat. Aber das Entscheidende ist: das Genußleben ist vollständig getrennt vom übrigen Leben. Es ist nur zur Erholung, damit Sie wieder tun können, was kein Genuß ist. Sie kriegen überhaupt nur das bezahlt, was Ihnen keinen Genuß bereitet. Eine Prostituierte hat sich einmal mir gegenüber beschwert, daß ihr ein Freier nichts hat zahlen wollen, weil sie einmal unbedacht wollüstig geseufzt hat. Sie hat mich gefragt, wie das im Kommunismus ist. Aber wir sind von unserm Thema abgeschweift.

Ziffel

Das kann ich nur begrüßen. Wir sind nicht angestellt, was herauszubringen. Wir müssen also nicht nur Hüte herstellen oder nur Zigarrenanzünder. Wir können denken, was wir denken wollen, beziehungsweise, was wir denken können. Unsere Gedanken sind wie Freibier. Übrigens möchte ich nicht mißverstanden werden, da ich keine Regierung bin und also daraus keinen Nutzen ziehen kann. Ich hab mich neulich nicht gegen das Denken ausgesprochen, wie immer es geklungen haben mag; ich bin, was der Doktor Goebbels eine Intellektbestie nennt. Ich bin nur gegen eine Gesellschaft, wo keiner am Leben bleiben kann ohne denkerische Operationen von gigantischem Ausmaß, d. h. eine Gesellschaft, wie sie der Doktor Goebbels haben möchte, der das Problem vollkommen löst, indem er es, das Denken, verbietet.

Kalle

Ich hab was dagegen, wenn man den Hitler einfach einen Dummkopf nennt. Das schaut so aus, als ob der Hitler in dem Augenblick, wo er nachdenken würd, überhaupt nicht mehr da wär.

142

Ziffel

Da ist was dran. So was wie ein Naturschutzpark für das Denken, wo es untersagt ist, Gedanken nachzujagen, gibts nicht nur in Deutschland unter Hitler; dort ist der Stacheldraht nur elektrisch geladen worden, sozusagen. Es ist denkfaul, die Rede des Hitler vor den rheinischen Industriellen vom Jahr 32 als unintelligent hinzustellen. Gegen diese Rede sind die Artikel und Reden der landläufigen Liberalen nur infantil. Der Hitler weiß wenigstens, daß er keinen Kapitalismus ohne Krieg haben kann. Was die Liberalen nicht wissen. Z. B. die deutsche Literatur, die nach Karl Kraus denn auch mit Mann und Mehring untergegangen ist.

Kalle

Sie denken immer noch, sie können einen Metzger haben, aber ihm das Schlachten gesetzlich verbieten.

Ziffel

Das ist ein wundervolles Feld für einen humorliebenden Menschen. Ist Ihnen klar, daß die beste Lösung für die bange Frage »Wie kann man freien Wettbewerb haben und doch keine Anarchie?« die Kartelle sind? Und natürlich führen gerade die Versuche der Kartelle, eine internationale Ordnung herzustellen, zu den internationalen Kriegen. Die Kriege sind nichts als Versuche, den Frieden zu erhalten.

Kalle

Der zweite Weltkrieg ist ausgebrochen, bevor ein einziges geschichtliches Werk über den ersten hat erscheinen können.

Ziffel

Das Wort »ausgebrochen« besagt alles. Man gebraucht es hauptsächlich für Seuchen, und es liegt drin, daß die keiner gemacht hat und nur keiner hat verhindern können. Schon wenn es heute auf Hungersnöte in Indien angewandt wird, ists im höchsten Grad irreführend, da sie einfach von Spekulanten veranstaltet werden.

Kalle

Für die Liebe gebraucht man das Wort auch. Mitunter ist es am Platz. Aber bei der Frau von einem Freund war es so: sie ist mit einem Herrn auf einer Eisenbahnreise ins Hotel gegangen und hat aus Ersparnisgründen ein Zimmer mit ihm genommen, und dann ist die Liebe zwischen ihnen ausgebrochen, sie hat kaum was dagegen machen können. Die meisten Eheleute schlafen miteinander übrigens, ohne daß je eine Liebe ausgebrochen wär. Kriege brechen aus, hör ich, wenn ein Staat, und vielleicht noch seine Verbündeten, besonders kriegerisch ist. Das heißt, wenn er eben zur Gewalt neigt. Aber da hab ich mich oft gefragt, wie das bei einer Überschwemmung ist. Für gewöhnlich wird der Fluß als »reißend« hingestellt und das Flußbett als vollkommen friedlich, zusammen mit seinen malerischen Faschinen und Zementkonstruktionen, und dann kommt der Fluß und reißt alles nieder, und da ist er natürlich der Schuldige, er kann noch so laut schreien, daß es im Gebirg zu stark geregnet hat und daß alles das Wasser in ihn hineinstürzt und er kommt nur nicht mehr aus mit dem Bett.

Ziffel

Das Wort »auskommen mit« ist ebenfalls bezeichnend. »Ich komm mit meiner Brotration nicht mehr aus« bedeutet noch keinen offenen Kriegszustand mit dem Brot, aber wenn ich sag »ich komm mit Ihnen nicht mehr aus«, so bedeutet das Kriegszustand. Meistens ist es nur so, daß ich von Ihnen was brauch, ohne was Sie nicht auskommen, und was hat es da für einen Zweck, wenn jeder von uns schreit, der andere hat einen schlechten Charakter und ist unverträglich? Um zur Geschichtsschreibung zurückzukommen: wir haben keine. Ich hab in Schweden die Memoiren des Barras gelesen. Er war ein Jakobiner und ist ein Mitglied des Direktoriums gewesen, nachdem er geholfen hat, den Robespierre zu beseitigen. Seine Memoiren sind in einem erstaunlich geschichtlichen Stil geschrieben. Wenn es seine Revolution behandelt, schreibt das Bürgertum in einem echt geschichtlichen Stil, aber nicht, wenn es seine sonstige Politik behandelt, einschließlich seine Kriege. Seine Politik ist die Fortführung seiner Geschäfte mit andern Mitteln, und seine Geschäfte öffentlich zu behandeln, liebt es nicht. So ist das Bürgertum lediglich ratlos, wenn die Politik gelegentlich in Kriege übergeht, sie sind sehr dagegen. Das Bürgertum führt die größten und meistumfassenden Kriege der Geschichte und ist zugleich echt pazifistisch. Jede Regierung erklärt, wenn sie in einen Krieg zieht, wie ein Säufer, wenn er einen Schnaps hebt, es sei unwideruflich der letzte.

Kalle

Tatsächlich, wenn ich mirs überleg, sind die neueren Staaten die edelsten und feinsinnigsten Staaten, die je größere Kriege geführt haben. Früher hats immerhin den oder jenen Krieg gegeben, der aus Gewinnsucht geführt worden ist. Das hat ganz aufgehört. Wenn heut ein Staat eine fremde Kornkammer einverleibt haben möcht, sagt er entrüstet, daß er hin muß, weil dort unredliche Besitzer sind oder Minister, die sich mit Stuten verheiraten, was das Menschengeschlecht herabsetzt. Kurz, keiner von den Staaten billigt seine eigenen Motive für einen Krieg, sondern er verabscheut sie und schaut sich nach andern, besseren um. Die einzige unfeine Nation ist die Sowjetunion, die für ihre Besetzung Polens, wie es gegenüber den Nazis unterlegen war, überhaupt keine Gründe angegeben hat, die sich haben sehen lassen können, so daß die Welt hat annehmen müssen, es ist einfach aus Gründen militärischer Sicher-

heit gemacht worden, also aus ganz gemeinen, ego-
istischen Gründen.

Ziffel
Ich hoffe übrigens, Sie sind nicht der vulgären Meinung, daß die Engländer im ersten finnnischen Krieg
beinahe eingegriffen hätten nur wegen der Nickel-
gruben, die sie dort besessen haben, d. h. die einige
von ihnen dort besessen haben, und nicht aus Liebe
zu den kleinen Nationen?

Kalle
Ich bin froh, daß Sie mich warnen, ich hätts beinah
geäußert, aber natürlich, wenns vulgär wär, äußer
ichs nicht. Ein besonders schmutziges Motiv ist das
beste, was man für ein Verbrechen haben kann, weil
man einem dann sofort die edelsten Motive unter-
schiebt, da so schmutzige ja nicht möglich sind. In
Hannover ist einmal ein Raubmörder damit freige-
kommen, daß er gestanden hat, er hat eine Lehrerin
in ein paar Stücke zerschnitten, um eine Mark fünfzig
in die Hand zu kriegen, zum Versaufen. Die Ge-
schworenen habens ihm auf Anraten seines Vertei-
digers nicht geglaubt, es war zu bestialisch. Edle
Motive für moderne Kriege werden schon daher gern
geglaubt, weil die eventuellen wirklichen, die man
sich vorstellen könnt, zu schweinisch sind.

Ziffel

Lieber Freund, Sie erweisen der sogenannten materialistischen Geschichtsbetrachtung einen Bärendienst, wenn Sie die Geschichte so versimpeln. Die Kapitalisten sind nicht einfach Räuber, schon weil die Räuber eben keine Kapitalisten sind.

Kalle

Das ist richtig; das einzige, was einen zu so einer Versimpelung veranlassen könnt, ist höchstens, daß man auch bei ihnen Beute vorfindet.

Ziffel

Beute ist falsch, Sie können im besten Fall Ausbeute sagen und das ist was ganz anderes, wie Sie genau wissen.

Kalle

Das Schlimme ist nur, daß »Ausbeute« im Katechismus nicht vorkommt und nirgends die Note »unmoralisch« oder »bestialisch« bekommt.

Ziffel

Herr Winter, es wird spät.

Und so erhoben sie sich und schieden voneinander und entfernten sich, jeder an seine Statt.

Der Aufbau einer Firma zur Wanzenvertilgung nahm viel Zeit in Anspruch, da die Gase nur aus dem Ausland beschafft werden konnten und dazu keine Valuten bewilligt wurden. Ziffel und Kalle hielten ihre Sitzungen im Bahnhofsrestaurant ab. Sie kamen häufig auf Deutschland zu sprechen, das in diesen Wochen immer lauter die Weltherrschaft forderte.

Ziffel

Die Idee von der Rasse ist der Versuch von einem Kleinbürger, ein Adeliger zu werden. Er kriegt mit einem Schlag Vorfahren und kann auf was zurück- und auf was herabsehen. Wir Deutschen kriegen dadurch sogar eine Art Geschichte. Wenn wir schon keine Nation waren, können wir wenigstens eine Rasse gewesen sein. An und für sich ist der Kleinbürger nicht imperialistischer als der Großbürger. Warum auch? Aber er hat ein schlechteres Gewissen und braucht eine Entschuldigung, wenn er sich ausbreitet. Er haut nicht gern jemand mit dem Ellbogen

149

in den Bauch, wenn es nicht sein Recht ist. Er hat gern, daß es seine Pflicht ist, wenn er auf jemand herumtrampelt. Die Industrie muß einen Markt haben, und wenn Blut fließt. Öl ist dicker als Blut. Aber wegen einem Markt kann man nicht Krieg machen, das wäre leichtfertig, man muß ihn machen, weil man eine Herrenrasse ist. Wir fangen damit an, daß wir die Deutschen ins Reich holen und hören nur auf damit, daß wir auch die Polen und Dänen und Holländer ins Reich holen. Damit beschützen wir sie. Gute Herren sind zu ihrem eigenen Besten.

Kalle

Das Problem für sie ist, wie sie genug Herrenmenschen herstellen können. Im KZ hat uns der Kommandant drei Stunden übern Barackenhof traben und danach 200 Kniebeugen machen lassen. Dann haben wir uns in zwei Reihen aufgestellt, und er hat eine Ansprache gehalten. Wir Deutschen sind ein Herrenvolk, hat er mit einer hohen quiekenden Stimm geschrien. Ich werd euch Schweinekerle solang zwiebeln, bis ich euch zu Vertretern einer Herrenrass gemacht hab, die man der Welt vorstellen kann, ohne Erröten. Wie wollt ihr die Weltherrschaft antreten, wenn ihr solche Schlappschwänze und Pazifisten seid? Die Schlappschwänzigkeit und den Pazifismus überlassen wir den vernegerten Rassen im Westen. Jeder einzelne Deutsche ist diesem Gesindel rassisch so überlegen wie eine Tanne einem Schwammerling. Ich

150

werd euch hier solange die Eier schleifen, bis ihr das
begriffen habt und mir auf euren Knien dankt, daß
ich im Auftrag des Führers Herrennaturen aus euch
gemacht hab!

Ziffel
Wie habens auf dieses unsittliche Ansinnen reagiert?

Kalle
Ich hab nicht recht gezogen. Andrerseits hab ich nicht
gewagt, die Weltherrschaft ganz offen nicht anzustre-
ben. Sie haben mich geprügelt, und danach hat sich
der Kommandant sogar einmal mit mir allein unterhalten. Er hat mitgenommen ausgesehn, weil er schon
auf nüchternen Magen zwei Auspeitschungen mitan-
gesehn hat, und ist auf dem Roßhaarsofa gelegen und
hat seinen Bernardiner gekrault. Siehst du, hat er
nachdenklich gesagt, du mußt sie erobern, die Weltherrschaft. Es bleibt dir nichts andres übrig. Es ist
das außenpolitisch genau wie es innenpolitisch war.
Nimm mich! Ich war in der Versicherungsbranche
tätig. Der eine Direktor war ein Jude. Unter dem
Vorwand, daß ich keine Policen bringe und ein paar
Prämien für mich selber verwende, wirft er mich auf
die Straße. Es ist mir nichts andres übriggeblieben,
als in eine Partei einzutreten, die die Herrschaft im
Staat angestrebt hat. Oder, wenn ich dir nicht genüg,
nimm den Führer selber! Kurz vor Übernahme der
Macht war er total bankrott. Er hätt nirgends mehr

unterkommen können. Der einzige Beruf, der ihm
noch offengestanden ist, war Diktator. Und jetzt
nimm Deutschland! Es ist bankrott. Eine kolossale
Industrie und kein Markt und kein Rohstoff! Die
letzte Chance: die Weltherrschaft! Betracht die Chose
einmal von diesem Gesichtspunkt aus!

Ziffel

Sie können die Aufgabe nur bewältigen, wenn sie mit
rücksichtsloser Strenge vorgehen. Mit Strenge kann
man aus einer Memme ein Ungeheuer machen. Prin-
zipiell können Sie die größte Stadt der Welt von
kleinen Angestellten zusammenbombardieren lassen,
die nur mit Herzklopfen zum Unterabteilungschef
hineingingen. Das sind technische Fragen. Man setzt
die Soldaten auf Motore und läßt die Motore auf
den Feind los, und zwar mit einer Fahrgeschwindig-
keit, daß keiner sich abzuspringen trauen würde.
Andre stopft man in Transportpläne und setzt sie
mitten in feindlichen Armeen ab, wo sie sich verzwei-
felt wehren müssen, damit sie das nackte Leben retten. Nicht wenige kann man als lebendige Bomben
abschmeißen. Ein ganzes Heer hat man im Innren
von Lastschiffen versteckt und an entfernte Küsten
gefahren, wo sie ausgeladen und den Angriffen der
Bewohner ausgesetzt wurden, die allerdings über-
rumpelt waren. Zwei Kontinente sind erbleicht wegen
der Unerschrockenheit dieser Soldaten, aber selbst
wenns die Erschrockenheit war, habens Grund genug

152

zum Erbleichen gehabt. Dazu kommt der nach wissenschaftlichen Gesichtspunkten vorgenommene Drill. Der Mensch, selbst der vernünftigste, kann so gedrillt werden, daß ihm nichts leichter fällt als eine Heldentat. Er ist automatisch ein Held. Nur mit dem Aufgebot der äußersten Willenskraft wär er imstand, anders als heldenhaft aufzutreten. Nur wenn er alle seine Phantasie zusammennähme, könnt er sich was anderes ausdenken als eine Heldentat. Die Propaganda, die Drohungen und das Beispiel machen beinahe jeden zum Helden, indem sie ihn willenlos machen. Gleich zu Beginn der großen Zeit hab ich meinen Portier wie einen Gouverneur im Feindesland auftreten sehen. Einen Winkelblattsportsberichterstatter wie einen Kulturträger und einen Zigarrenhändler wie einen Industriekapitän. Gewisse kriminelle Elemente, die bisher ganz bescheiden, ohne großes Wesen von sich zu machen, in die Wohnungen eingebrochen waren, meist im Schutz der Nacht, haben das jetzt bei Tag gemacht, öffentlich, und sie haben gesorgt, daß ihre Taten in die Zeitungen gekommen sind. Sie können durch gewisse Gewürze in winziger Quantität einen Teig so verändern, daß der Geschmack ein ganz neuer wird. So hat alles, was man gesehen hat, einen ganz neuen Charakter angenommen, und zwar einen drohenden. Zuerst drohten nur einige einigen, dann einige allen und am Schluß alle allen. Die Leute schliefen abends ein mit dem Gedanken an die Drohungen, denen sie

an diesem Tag ausgesetzt gewesen waren, und an die
Drohungen, die sie selber am nächsten Tag ausstoßen
könnten.

Kalle

Es ist ihnen gelungen, einander in kurzem so einzu-
schüchtern, daß man folgende Geschichte erzählt hat.
Ein Ausländer hat einen Geschäftsfreund aufgesucht.
Wie geht es euch unter dem neuen Regime, fragt er
ihn schon im Kontor. Der Geschäftsfreund wird bleich,
murmelt was Unverständliches, langt nach seinem
Hut und zieht den Ausländer zur Tür. Der erwartet,
daß er auf der Straße was hören wird, aber sein
Freund blickt sich scheu um und biegt mit ihm in ein
Restaurant ein, wo er in einer Ecke, weit weg von
allen andern Gästen, einen Tisch wählt. Nachdem ein
Kognak bestellt ist, fragt der Ausländer wieder seine
Frage, aber der Deutsche schielt mißtrauisch auf die
Tischlampe, die einen sehr dicken Bronzefuß hat. Sie
zahlen, und der Deutsche führt den Geschäftsfreund
in seine Junggesellenwohnung, direkt ins Badezim-
mer, dreht den Wasserhahn auf, damit ein lautes
Rauschen entsteht und sagt ihm, grad noch hörbar
auf kurze Entfernung: Wir sind zufrieden.

Ziffel

Ohne starke Polizei und ständige Aufsicht können Sie
aus keinem Volk eine Herrenrasse machen. Es fällt
Ihnen immer wieder zurück. Glücklicherweise ist der

Staat in der Lage, da einigen Druck auszuüben. Er braucht den Leuten z. B. nicht unbedingt etwas zum Fressen zu geben, eine in die Fresse genügt mitunter auch. Die Welteroberung beginnt mit dem Opfersinn, sie steht und fällt damit. Die einzigen Geschöpfe, die keinen Opfersinn kennen, sind Tanks, Stukas und überhaupt Motoren. Sie allein sind unwillig, Hunger oder Durst zu ertragen, und verschließen sich da allen vernünftigen Argumenten. Keinerlei Propaganda vermag sie dazu zu bewegen, zu arbeiten, ohne gespeist zu werden. Kein Versprechen einer paradiesischen Zukunft mit ganzen Meeren von Benzin kann sie zum Weiterkämpfen ohne Benzin bringen. Der Schrei, das Land sei verloren ohne ihr Durchhalten, verklingt ungehört von ihnen. Was hülfe es, sie an eine ruhmvolle Vergangenheit zu erinnern? Sie haben keinen Glauben an den Führer und keine Furcht vor seiner Polizei. Ihren Streik kann keine SS brechen, und sie streiken sofort, wenn das Futter ausbleibt. Aus Freude allein gewinnen sie keine Kraft. Immerfort müssen sie geschmiert werden, das ganze Volk muß sich Extraentbehrungen auferlegen, damit es ihnen niemals an etwas gebricht. Werden sie vernachlässigt, dann zeigen sie zwar keinen Zorn, aber auch kein Verständnis, sondern einfach Rost. Diesen Geschöpfen fällt es am leichtesten im Land, ihre Würde zu bewahren.

Kalle

Der Deutsche hat eine unglückliche Geschichte gehabt und so hat sich in ihm ein einzig dastehender Gehorsam gebildet. Er gehorcht auch, wenn man ihn zum Herrenmenschen machen will. Sie können ihn anbrüllen »Kniee beugt!« oder »Augen rechts!« oder »Welt beherrscht!«, er wird immer versuchen, den Befehl auszuführen. Vor allem hat man ihm beibringen müssen, was ein Deutscher ist und was nicht. Man hat sich mit Blut und Boden geholfen. Nur ein Deutscher darf sein Blut für den Führer vergießen, und nur ein Deutscher darf einem Deutschen seinen Boden wegnehmen. Der Häftling im KZ und sein Auspeitscher gehören blutmäßig zusammen, und weil sie dem gleichen Boden entstammen, haben sie die gleiche Art. Ich bin gegen die Bande des Bluts immer genau so eingestellt gewesen wie gegen alles andere, was mich gebunden hat. Ich hab gern freie Händ. Es ist richtig, seinen Vater kann man sich nicht wählen, drum kann er einen mitm Riemen durchwichsen. Er könnt nicht so schmatzen beim Essen, wenn man sich einen andern Vater wählen könnt.

Ziffel

Es wird einem natürlich krumm genommen, wenn man alle Bande zerreißt, sogar die heiligsten.

Kalle

Wieso zerreiß ich sie? Die Familie haben die Kapitalisten zerrissen. Und das Band zwischen mir und meinem Land hat der Wieheißterdochgleich zerrissen. Ich bin nicht egoistischer als ein anderer, aber zur Weltherrschaft laß ich mich nicht drängen. Da bleib ich hart. Ich hab den unbegrenzten Opfersinn nicht dazu.

Darauf wandten sie sich noch für eine Weile der Wanzenvertilgung zu und dann schieden sie voneinander und entfernten sich, jeder an seine Statt.

XVII

ZIFFEL ERKLÄRT SEINEN UNWILLEN GEGEN ALLE TUGENDEN

Der Herbst kam mit Regen und Kälte. Das liebliche Frankreich lag am Boden. Die Völker verkrochen sich unter die Erde. Ziffel saß im Bahnhofrestaurant von H. und schnipfelte eine Brotmarke von seiner Brotkarte.

Ziffel

Kalle, Kalle, was sollen wir armen Menschen machen? Überall wird Übermenschliches verlangt, wo sollen wir noch hin? Nicht nur ein Volk oder zwei Völker erleben eine große Zeit, sondern sie rückt unaufhaltbar für alle Völker herauf, sie kommen ihr nicht aus. Das möcht einigen passen, daß sie keine große Zeit durchmachen müßten, und nur andere müßten es, nein daraus wird nichts, sie müssen es sich aus dem Kopf schlagen. Über dem ganzen Kontinent nehmen die Heldentaten zu, die Leistungen des gemeinen Mannes werden immer gigantischer, jeden Tag wird eine neue Tugend erfunden. Damit man zu einem Sack Mehl kommt, braucht man eine Energie, mit der man früher den Boden einer ganzen Provinz hätt urbar machen können. Damit man herausbringt, ob man schon heut fliehen muß oder erst morgen fliehen darf, ist eine Intelligenz nötig, mit der man noch vor ein paar Jahrzehnten hätt ein unsterbliches Werk schaffen können. Eine homerische Tapferkeit wird gefordert, damit man auf die Straße gehen kann, die Selbstentsagung von einem Buddha, damit man überhaupt geduldet wird. Nur wenn man die Menschlichkeit von einem Franz von Assisi aufbringt, kann man sich von einem Mord zurückhalten. Die Welt wird ein Aufenthaltsort für Heroen, wo sollen wir da hin? Eine Zeit lang hats ausgesehn, als ob die Welt bewohnbar werden könnt, ein Aufatmen ist durch die Menschen gegangen. Das Leben ist leichter geworden. Der Webstuhl, die Dampfmaschine, das Auto, das Flugzeug, die Chirurgie, die Elektrizität, das Radio, das Pyramidon kam und der Mensch konnte fauler, feiger, wehleidiger, genußsüchtiger, kurz glücklicher sein. Die ganze Maschinerie diente dazu, daß jeder alles tun können sollte. Man rechnete mit ganz gewöhnlichen Leuten in Mittelgröße. Was ist aus dieser hoffnungsvollen Entwicklung geworden? Die Welt ist schon wieder voll von den wahnwitzigsten Forderungen und Zumutungen. Wir brauchen eine Welt, in der man mit einem Minimum an Intelligenz, Mut, Vaterlandsliebe, Ehrgefühl, Gerechtigkeitssinn usw. auskommt und was haben wir? Ich sage Ihnen, ich habe es satt, tugendhaft zu sein,

weil nichts klappt, entsagungsvoll, weil ein unnötiger
Mangel herrscht, fleißig wie eine Biene, weil es an
Organisation fehlt, tapfer, weil mein Regime mich in
Kriege verwickelt. Kalle, Mensch, Freund, ich habe
alle Tugenden satt und weigere mich, ein Held zu
werden.

*Die Kellnerin nahm die Brotmarke in Empfang, der
Dingsda überfiel Griechenland, Roosevelt fuhr auf
Wahlagitation, Churchill und die Fische warteten auf
die Invasion, der Wieheißterdochgleich schickte Soldaten nach Rumänien, und die Sowjetunion schwieg
weiter.*

XVIII
KALLES SCHLUSSWORT
EINE UNGENAUE BEWEGUNG

Kalle

Ich hab mir Ihren ergreifenden Appell von neulich überschlafen und Ihren Überdruß, was das Heldentum betrifft. Ich denk, ich engagier Sie. Ich hab einen Geldgeber für die Gründung meiner Wanzenvertilgungsanstalt mit beschränkter Haftung gefunden.

Ziffel

Ich nehm das Engagement mit dem Ausdruck des Zögerns an.

Kalle

Was Ihre Gesinnung angeht: Sie haben mir zu verstehen gegeben, daß Sie auf der Suche nach einem Land sind, wo ein solcher Zustand herrscht, daß solche anstrengenden Tugenden wie Vaterlandsliebe, Freiheitsdurst, Güte, Selbstlosigkeit so wenig nötig sind wie ein Scheißen auf die Heimat, Knechtseligkeit, Roheit und Egoismus. Ein solcher Zustand ist der Sozialismus.

Ziffel
Entschuldigen Sie, das ist eine überraschende Wendung.

Kalle stand vom Wirtstisch auf und erhob seine Kaffeetasse.

Kalle
Ich fordere Sie auf, sich zu erheben und mit mir anzustoßen auf den Sozialismus – aber in solch einer Form, daß es hier im Lokal nicht auffällt. Gleichzeitig mach ich Sie darauf aufmerksam, daß für dieses Ziel allerhand nötig sein wird. Nämlich die äußerste Tapferkeit, der tiefste Freiheitsdurst, die größte Selbstlosigkeit und der größte Egoismus.

Ziffel
Ich habs geahnt.

Und er erhob sich mit seiner Tasse und machte mit ihr eine ungenaue Bewegung, die nicht leicht jemand als einen Versuch zum Anstoßen entlarven konnte.

INHALT

BIBLIOTHEK SUHRKAMP